SCHOLIES A L'ECCLÉSIASTE

SOURCES CHRÉTIENNES

N° 397

ÉVAGRE LE PONTIQUE
SCHOLIES A L'ECCLÉSIASTE

ÉDITION PRINCEPS DU TEXTE GREC
INTRODUCTION, TRADUCTION, NOTES ET INDEX

PAR

Paul GÉHIN

Agrégé de l'Université
Chargé de recherche au C.N.R.S.

Ouvrage publié avec le concours
du Centre National de la Recherche Scientifique

LES ÉDITIONS DU CERF, 29, Bd DE LATOUR-MAUBOURG, PARIS
1993

*La publication de cet ouvrage a été préparée avec le concours
de l'Institut des « Sources chrétiennes »
(URA 993 du Centre National de la Recherche Scientifique)*

AVANT-PROPOS

C'est par un article publié en 1979 dans la revue *Byzantion* sous le titre : « Un nouvel inédit d'Évagre le Pontique : son commentaire de l'Ecclésiaste » que nous avons fait connaître notre découverte des *Scholies à l'Ecclésiaste* d'Évagre dans les manuscrits *Coislinianus 193* et *Iviron 555*. Celle-ci a révélé que la reconstitution du Commentaire d'Évagre à partir du Commentaire d'Olympiodore effectuée par Urs von Balthasar en 1939 (« *Hiera* », p. 203-204) était sans fondement : aucun des textes présentés comme évagriens par le savant théologien ne figurait en effet dans notre collection de scholies. La découverte bousculait aussi les positions adoptées au sujet des chaînes à l'Ecclésiaste par deux professeurs de Messine, S. Leanza et A. Labate, et mettait en évidence le caractère prématuré de leurs premières publications.

Grâce à nos deux témoins manuscrits, nous accédions à l'une des principales sources des chaînes connues. La *Collectio Coisliniana* pouvait dès lors, dans un domaine aussi complexe que celui des chaînes exégétiques, où nombre de maillons ont disparu et où les erreurs d'attribution se multiplient si rapidement, servir de pierre de touche — et non de « lit de Procuste », comme l'a dit si aimablement le Pr. Leanza [1] — pour apprécier la valeur et le degré de fiabilité des chaînes en question.

Si l'authenticité évagrienne de ces scholies a été immédiatement reconnue par les spécialistes d'Évagre et par l'éditeur de la *Catena trium Patrum*, Santo Lucà, elle n'a cessé d'être mise

---

1. S. Leanza, « Pour une réédition des *Scolies à l'Ecclésiaste* de Denys d'Alexandrie », in Ἀλεξανδρῖνα, *Mélanges offerts à Claude Mondésert, s.j.*, Paris 1987, p. 243 et n. 29.

en doute par nos collègues de Messine[1]. Nous voudrions rappeler brièvement que cette authenticité s'appuie :

1) sur des éléments externes : voisinage des *Scholies aux Proverbes* dans l'*Iviron 555* ; attribution explicite à Évagre de plusieurs de ces scholies dans un témoin de la chaîne de Procope (le ms. *Barberini*) et d'une scholie isolée insérée dans le Commentaire d'Olympiodore.

2) sur des éléments internes : nombreux parallèles, parfois littéraux, avec le reste de l'œuvre d'Évagre ; renvoi explicite aux *Scholies aux Proverbes* dans la scholie 14 ; même façon particulière de citer certains versets scripturaires (cf. schol. 5, 24, 25, 47) ; lexique et doctrine caractéristiques. Nous espérons que le commentaire que nous donnons en note à chaque scholie contribuera à dissiper les derniers doutes.

---

1. Voir en dernier lieu A. LABATE, préf. à l'éd. de la *Catena Hauniensis*, p. X, n. 7, p. XXII-XXIII, p. XXVI, n. 76, p. XXXVII-XXXVIII.

INTRODUCTION

CHAPITRE I

L'INTERPRÉTATION DU LIVRE BIBLIQUE

I. LA PLACE DE L'ECCLÉSIASTE DANS L'ŒUVRE D'ÉVAGRE

Ce livre biblique difficile, au style si particulier[1], aussi déconcertant pour un esprit grec que pour un esprit chrétien, occupe une place modeste dans l'œuvre d'Évagre connue de nous. On relève en tout et pour tout un peu moins d'une trentaine de citations ou d'allusions :

Antirrhétique   Treize d'entre elles se trouvent dans l'*Antirrhétique*, volumineux recueil de citations scripturaires à opposer aux diverses mauvaises pensées qui se présentent à l'esprit. Les textes bibliques sont classés selon les huit vices principaux : I (gourmandise), II (fornication), III (avarice),

---

1. Nous adoptons la thèse la plus répandue selon laquelle le texte de l'Ecclésiaste qui a pris place dans la Septante est la traduction d'Aquila. Voir D. BARTHÉLEMY, *Les devanciers d'Aquila*, Leyde 1963, p. 32-38. Sur Aquila, qui vécut sous Hadrien, et sur sa méthode de traduction, voir HARL - DORIVAL - MUNNICH, *La Bible grecque des Septante*, p. 143-147 (partie due à O. Munnich).

IV (tristesse), V (colère), VI (acédie), VII (vaine gloire),
VIII (orgueil). Chacun des textes constitue la réponse
(ἀπόκρισις) ou la réplique (ἀντίρρησις) appropriée susceptible de repousser une mauvaise pensée donnée. Évagre
cite dans la préface à cet ouvrage le texte d'*Eccl.* 8, 11
qui contient précisément le mot ἀντίρρησις. Donnons
quelques exemples de cette utilisation antirrhétique de
l'Ecclésiaste : *Eccl.* 3, 11 («Tout ce qu'il a fait est bon en
son moment») sera opposé à la pensée qui conseille de
boire du vin en dehors des périodes de maladie, sous
prétexte que le vin n'est pas mauvais en soi (*Antirrhétique* I, 35) ; *Eccl.* 7, 2 («Mieux vaut aller à une maison
de deuil qu'aller à une maison de boisson») chassera la
pensée qui rappelle les mauvaises habitudes d'autrefois,
notamment en matière de boisson (*Antirrhétique* I, 36) ;
Eccl. 5, 9 («Celui qui aime l'argent ne se rassasiera pas
d'argent ; et on a aimé un produit dans son abondance.
Cela aussi est vanité») sera dirigé contre l'avarice qui
invoque des motifs louables de posséder de l'argent
(soin des frères, achat de livres saints) (*Antirrhétique* III,
35)[1].

Commentaires   Dans les autres commentaires
bibliques   bibliques d'Évagre, *Scholies aux
                     Psaumes* et *aux Proverbes*, nous
n'avons relevé jusqu'à présent que huit citations ou

---

1. Autres textes utilisés : *Eccl.* 1, 2, contre les pensées qui remé-
morent le mode de vie antérieur (III, 34) ; *Eccl.* 3, 7, contre la pensée
qui fait parler ou garder le silence à contre-temps (VII, 21) ; *Eccl.* 3,
20, contre les pensées qui font se prévaloir de la notoriété familiale
(VIII, 37) ; *Eccl.* 7, 4, contre les pensées qui rappellent le souvenir de
la maison (II, 40) ; *Eccl.* 7, 9, contre la pensée de colère dirigée contre
les frères (V, 29) ; *Eccl.* 7, 16, contre la tentation d'une ascèse trop
rigoureuse (I, 37) ; *Eccl.* 7, 20, contre la pensée d'orgueil qui montre les
péchés des frères (VIII, 38) ; *Eccl.* 10, 4, contre l'âme victime de tentations impures et qui ne cherche pas à les chasser par l'ascèse et la
prière (II, 41) ; *Eccl.* 11, 10, contre l'âme qui ne veut pas supprimer les
causes de colère (V, 30).

allusions. *Eccl.* 1, 13 reçoit dans la scholie 20 *ad Ps.* 77, 49 le même commentaire qu'ici (schol. 4). Le plus intéressant est de trouver dans les *Scholies aux Psaumes* un commentaire pour des versets qui n'ont pas retenu ici l'attention de l'exégète :

Eccl. 1, 4 (« Une génération va et une génération vient ») est commenté dans la scholie 17 *ad Ps.* 21, 31 : la génération est celle de la vertu ;

Eccl. 10, 4 (« Si l'esprit de celui qui a le pouvoir monte vers toi, ne lui laisse pas de place »), dans la scholie 5 *ad Ps.* 16, 11 : il est conseillé de ne pas abandonner la vertu pour laisser place à un vice présenté par le démon ;

Eccl. 11, 2 (« Donne la part aux sept et aux huit »), dans la scholie 5 *ad Ps.* 78, 12 : le chiffre sept est dit représenter la vie présente, et le chiffre huit la vie future ;

Eccl. 12, 12 (« Mon fils, évite de composer plusieurs livres »), dans la scholie 8 *ad Ps.* 39, 8 (« En tête du livre il a été écrit à mon sujet ») : les deux textes font valoir l'unité de l'Écriture opposée à la multiplicité des livres païens ; il y a là un souvenir évident d'Origène (*Philocalie* 5, 2).

Autres écrits   Sept citations ou allusions apparaissent dans le reste de l'œuvre : En *Gnostique* 20, *Eccl.* 1, 5 (« Le soleil se lève, se couche et retourne en son lieu ») est donné comme exemple de texte parlant de la nature qui conserve dans une interprétation symbolique son sens physique, mais Évagre a omis de préciser l'interprétation qu'il en aurait donnée.

Il semble bien qu'il y ait une allusion à *Eccl.* 1, 7 (« Tous les torrents vont à la mer ») dans cette partie de la *Lettre à Mélanie* (Frankenberg, p. 618, l. 13) qui évoque le retour des natures raisonnables dans la mer de la Divinité.

Eccl. 2, 14[1-2] est cité en *KG* I, 72 sous une forme édulcorée, notamment en ce qui concerne le premier élément du verset.

Eccl. 3, 11 («Et il a donné le siècle à leur cœur») reçoit en *Pensées* 16 (*PG* 79, ch. 17, 1220 B-D) un commentaire voisin de celui qui est donné ici (schol. 15).

En *Gnostique* 25, *Eccl.* 8, 8 («Il n'y a pas de délégation au jour de la guerre») illustre le conseil donné au maître spirituel de ne pas délivrer les paroles pacifiques de la science à ceux qui sont encore combattus par les passions.

Eccl. 11, 10 («Éloigne la colère de ton cœur et conduis la malignité loin de ta chair») est cité en *Pensées* 4 bis (*PG* 79, ch. 5, 1205 C) dans un petit dossier de textes relatifs à la colère, et commenté en *KG* VI, 84 de la même façon que dans la scholie correspondante (schol. 72).

Enfin *Eccl.* 12, 3 («Le jour où seront ébranlés les gardiens de la maison») est présenté en *KG* II, 50 comme une annonce eschatologique.

II. LA MÉTHODE EXÉGÉTIQUE

Le genre exégétique auquel appartient le commentaire d'Évagre est celui des scholies, ainsi qu'il est précisé dans la scholie 42. Il se caractérise par la discontinuité (tous les versets ne sont pas commentés) et par la brièveté (sans doute commandée par des contraintes matérielles)[1]. On notera cependant que la proportion des scholies longues est ici plus importante que dans les

---

1. La longueur des scholies dépend de la place qui est disponible dans les marges de l'exemplaire biblique sur lesquels elles sont portées.

autres commentaires : 13 scholies sur 73 ont plus de
10 lignes, alors qu'on n'en comptait que 23 sur 382 dans
les *Scholies aux Proverbes*. Cette longueur inhabituelle
tient en grande partie à la nature du texte biblique qui
ne se laisse pas toujours découper en petites unités, par
exemple en distiques, comme c'est le cas des Proverbes,
ou encore des Psaumes. Évagre commente donc parfois
des groupes de versets assez importants :

— Schol. 15-16 *ad Eccl.* 3, 10-13 : il commente l'ensemble du
passage dans la scholie 15, puis revient sur l'exégèse du verset 11[1]
dans la scholie 16.

— Schol. 21-22 *ad Eccl.* 3, 19-22 : il commente l'ensemble dans
une première scholie, puis revient sur le verset 21[3] dans la seconde.

— Schol. 38 *ad Eccl.* 5, 7-11 : Évagre groupe 5 versets qui n'ont
pas de lien entre eux. Il est intéressant de suivre la progression du
commentaire : l. 1-4 sur le v. 7[1-2] ; l. 4-6 sur les v. 7[3]-8[1] ; l. 7-16 sur
les v. 8[2]-11 ; l. 16-21 retour sur le v. 8[2] ; l. 21-25 retour sur le v. 8[1] ;
l. 25-27 retour sur le v. 7[3-4]. Comme nous l'avons déjà noté plus
haut, l'exégète donne d'abord un commentaire suivi de l'ensemble,
puis revient sur certains points particuliers. Nous suivons ici ce
double mouvement : la « péricope » est parcourue du début à la fin,
puis à rebours de la fin au début.

— Schol. 42-45 *ad Eccl.* 5, 17-19 : Évagre rassemble d'abord
tous les termes de ces versets qui sont susceptibles de désigner dans
une interprétation symbolique la gnose, puis il revient dans les
trois scholies suivantes sur des versets particuliers. La scholie 43
commente le v. 18 ; la scholie 44 le v. 19 en entier ; la scholie 45,
plus spécialement, un mot du v. 19[2].

— Schol. 46-47 *ad Eccl.* 6, 1-6 : dans la scholie 46, Évagre distingue dans cet ensemble introduit par le v. 1 deux *képhalaia* : le
premier comprend le verset 2 et le second les versets 3-6. La scholie 47 est plus particulièrement consacrée au verset 2.

— Schol. 51 *ad Eccl.* 6, 9 : la formule récurrente « Et ceci est
vanité et choix de l'esprit » est considérée comme une formule de
conclusion pour les versets 6-9. Selon une habitude déjà constatée,
Évagre parcourt donc ces versets en sens inverse, il note que la
vanité ne saurait s'appliquer à tous les éléments des versets précé-
dents et qu'il convient de bien faire parmi eux le départ entre ce
qui est « louable » et ce qui est « blâmable ». On observera que le
commentateur n'a établi un lien entre les versets 7-9 et le verset 6
qu'*a posteriori*.

— Schol. 56 *ad Eccl.* 7, 3-7 : Évagre commente en une seule
scholie cinq sentences dont quatre ont trait au rire.

Les quelques remarques qui précèdent révèlent les difficultés rencontrées par les commentateurs pour découper le texte biblique de l'Ecclésiaste, et par Évagre en particulier. Dans bien des cas, verset ou distique continuent à être considérés par lui comme des unités significatives ; pourtant des groupements plus importants font leur apparition, qui obligent l'exégète à opérer des va-et-vient dans le texte, et à préciser dans un second temps des points négligés lors d'une première lecture globale du passage[1].

La longueur de certaines péricopes et la difficulté propre au texte expliquent la relative fréquence de l'incise φησί(ν), qui renvoie au texte scripturaire commenté[2]. Placée en début de scholie, l'incise en question a presque toujours le sens de « vouloir dire » ; elle est associée à une récriture du verset qui rappelle d'une certaine façon la pratique des targums : l'exégète ne se contente pas d'élucider le texte, mais substitue aux termes bibliques importants leurs équivalents symboliques. Prenons deux exemples, dans lesquels la « matière biblique » est indiquée en italiques :

> *Eccl.* 3, 10 : *J'ai vu l'occupation que Dieu a donnée*
> *aux fils de l'homme pour qu'ils s'y occupent.*
> — Schol. 15 (l. 1-3) : « *J'ai vu*, dit-il, les objets sensibles *occuper* la pensée de l'homme, objets *que Dieu a donnés aux hommes* avant leur purification *pour qu'il s'y occupent.* »
> *Eccl.* 4, 4 : *Et moi, j'ai vu toute la fatigue*
> *et toute la force virile de la créature.*
> — Schol. 25 (l. 1-2) : « *J'ai vu*, dit-il, *toute* la malice et le Malin qui y développe *sa force virile.* » Dans la scholie, le mot « malice » a été substitué à « fatigue », et le mot « Malin » à « créature ».

---

1. Cf. Jérôme, *ad Eccl.* 2, 4, p. 263.
2. Cf. schol. 2 (l. 2), 15 (l. 1, 18 et 22), 18 (l. 2), 21 (l. 17), 25 (l. 1), 35 (l. 6 et 11), 37 (l. 1), 38 (l. 1), 52 (l. 13 et 17), 57 (l. 1), 63 (l. 1), 67 (l. 1). Nous ne parlons naturellement pas de celles qui accompagnent les citations d'autres livres bibliques.

Dans le cours d'une scholie longue, le mot φησί a pour fonction de marquer le retour au lemme biblique que le commentaire a pu faire perdre de vue[1]. Dans ce cas, le texte biblique peut être cité sous une forme littérale ou sous une forme paraphrasée.

Évagre semble avoir éprouvé quelques difficultés avec ce livre qu'à l'évidence il connaît mal. Il semble découvrir le texte au fur et à mesure qu'il le commente, ce qui explique le caractère chaotique de certaines scholies longues. On notera qu'il ne commente l'expression προαίρεσις πνεύματος qu'à sa troisième apparition (schol. 10), que les renvois à d'autres passages du livre sont exceptionnels. La lassitude semble le gagner à partir du chapitre 9 (selon la division de nos éditions) ; les scholies se raréfient, deviennent de plus en plus courtes, et le commentaire s'arrête brutalement à *Eccl.* 11, 10, négligeant le chapitre 12 considéré pourtant, de l'avis général, comme le plus beau du livre[2].

Les particularités mises en valeur précédemment ne suffisent cependant pas à dépayser quiconque connaît les autres commentaires bibliques d'Évagre. Nombreux sont les parallèles avec les *Scholies aux Proverbes* et *aux Psaumes*. On retrouve ici le goût d'Évagre pour les définitions : le passage du terme biblique à son équivalent symbolique s'effectue tantôt grâce à la copule ἐστι, tantôt par l'intermédiaire de verbes comme λέγει, ὀνομάζει, δηλοῖ, σημαίνει, etc. Outre la forme paraphrastique déjà signalée, on rencontre les modes d'expression favoris de l'auteur : pastiches (schol. 50 et 57), syllogismes (3, 11, 17, 19), *érotapokrisis* (3). Quelques scholies proposent au

---

1. Le retour au texte biblique est aussi souligné par la particule οὖν, accompagnée ou non de φησί : cf. schol. 6 (l. 9), 8 (l. 7), 15 (l. 21), 21 (l. 16), 39 (l. 3), 52 (l. 13), 53 (l. 4).

2. Sur l'exégèse patristique du début de ce chapitre, voir S. Leanza, «*Eccl.* 12, 1-7 : L'interpretazione escatologica dei Padri e degli esegeti medievali», *Augustinianum* 18 (1978), p. 191-207.

choix deux exégèses (1, 31, 35, 50). On reconnaîtra au passage quelques tournures familières : ἐντεῦθεν δείκνυται ὅτι (12), ἐντεῦθεν γινώσκομεν ὅτι (72), σημειωτέον ὅτι (58), πλὴν τοῦτο ἰστέον, ὅτι (14 et 68), etc. Ces particularités formelles[1] ont aussi été un des éléments qui nous ont conduit à restituer à Évagre les présentes scholies.

III. CONVERGENCES ET DIVERGENCES

Dans ce livre de la Bible, l'Ecclésiaste porte un regard désabusé sur tout ce qui se produit «sur cette terre», «sous le soleil». Il fait l'inventaire des oppressions, infirmités et maux (v.g. συκοφαντία, ἀρρωστία, πονηρία) qu'il a observés ou reconnus (cf. les verbes εἶδον ou ἔγνω). L'effort humain (μόχθος), manuel ou intellectuel, lui semble bien inutile, puisque «le fils d'homme», quoi qu'il fasse, retournera à la poussière d'où il a été tiré et que son sort ne sera guère plus enviable que celui des bêtes ou de l'avorton. Tout le discours est rythmé par le mot «vanité» qui résume la pensée de l'écrivain. Un grand nombre de ces vues s'accordent tout à fait avec ce que peut penser un moine, comme Évagre, qui a une vive conscience de la misère humaine et qui porte un jugement critique sur le monde sensible[2].

Cependant, si l'on veut bien y regarder de plus près, la convergence entre Évagre et l'auteur du livre biblique est loin d'être totale, ce qui n'est guère étonnant si l'on tient compte de la différence de milieu et d'époque. Il est intéressant de voir comment notre moine tempère le pessimisme excessif de l'Ecclésiaste. A deux reprises, Évagre tente de limiter la portée du mot

---

1. Voir GÉHIN, *Scholies aux Proverbes*, Introd., p. 13-23.
2. On pourrait trouver aussi de nombreuses convergences de pensée entre l'Ecclésiaste et Marc Aurèle.

« vanité » dans un contexte donné, pour ne l'appliquer qu'aux éléments « blâmables » évoqués par le texte biblique (schol. 14 et 51). Évagre n'est en effet pas prêt à jeter le discrédit sur l'ensemble des activités humaines, dès lors que certaines d'entre elles contribuent à acquérir, non pas des biens périssables, mais les biens véritables que sont la vertu et la science, ni non plus disposé à dénigrer ce qu'il estime par-dessus tout, la science, la connaissance ou la sagesse. Devant la difficulté représentée par certains versets, Évagre n'a pas recours à l'artifice de certains commentateurs qui introduisent une sorte de dédoublement de Qohèleth : pour les uns l'Ecclésiaste parle tantôt en son nom propre, tantôt au nom de quelqu'un d'autre qui s'étonne de tout ce qui lui arrive ; pour d'autres les propos tenus correspondent à deux étapes de la vie d'un même personnage, et les propos considérés comme inacceptables sont alors l'expression d'une manière de voir ancienne [1]. Évagre maintient l'unité du personnage. Pour tourner la difficulté, il se place dans une perspective dynamique, comme le montre en particulier son interprétation du mot « vanité ». Est considéré comme vain, non seulement ce qui est par nature corruptible, comme le monde matériel et corporel [2], mais aussi tout ce qui est susceptible d'être à un moment donné dépassé. La connaissance sensorielle pourra être considérée comme vaine par rapport à la connaissance plus subtile et toute intellectuelle des *logoi* de la réalité (schol. 15). La contemplation physique, qui est assurément un bien impérissable, deviendra vaine quand on parviendra à la contemplation de Dieu, car on sera passé d'une science imparfaite à une science parfaite, d'une connaissance indirecte de Dieu à une connaissance directe (schol. 2).

---

1. Voir E. PODECHARD, *L'Ecclésiaste*, Paris 1912, p. 26-27.
2. Dans la scholie 4 *ad Ps.* 38, 6-7, il est dit que la nature corporelle est vanité par rapport à la nature incorporelle.

Loin de provoquer un nivellement général de la réalité, cette conception de la vanité s'inscrit dans le mouvement ascendant de la vie spirituelle, qui va de dépassement en dépassement[1].

L'interprétation habituelle de l'expression προαίρεσις πνεύματος, qui est fréquemment associée à la «vanité», apporte aussi une autre modification importante à la pensée de Qohèleth. A aucun moment, Évagre ne donne à ces deux mots le sens qu'avait voulu leur donner le traducteur (Aquila), c'est-à-dire celui de «poursuite de vent». Il comprend le mot προαίρεσις selon le sens que lui donne la tradition philosophique grecque, avec parfois une nuance péjorative, celui de «choix préalable» ou de «préméditation»[2] ; quant au mot πνεῦμα, il entre, selon notre commentateur, dans la catégorie des mots qui, comme καρδία ou κόλπος, sont censés, selon les habitudes de langage propres à l'Écriture, désigner l'âme ou l'intellect (schol. 10, 12, 21, 27 et 58). Il va sans dire qu'une telle interprétation donne au livre biblique une dimension volontariste qu'il n'avait pas, mais qui s'accorde bien avec les conceptions origénistes de notre auteur, dans lesquelles le libre arbitre joue un rôle important. La volonté propre qui incline vers le mal et s'oppose à la volonté de Dieu (schol. 27 et 50) peut alors être considérée comme l'aspect subjectif de la vanité objective du monde matériel consécutif à la chute[3].

---

1. Voir Origène, *Hom.* I *in Ps. 38* : «Les choses inférieures sont détruites, quand vient ce qui est meilleur et parfait ; elles sont considérées comme vaines, étant donné qu'elles sont détruites en tant que partielles et imparfaites» (*PG* 12, 1400 B). On reconnaît au début du passage l'allusion à *I Cor.* 13, 10 : «Quand viendra la perfection, ce qui est partiel sera abrogé.»

2. Pour ne pas alourdir la traduction, nous avons, sauf une fois, laissé de côté l'adjectif «préalable».

3. Deux scholies aux Psaumes donnent une définition de la vanité dans laquelle les deux aspects, objectif et subjectif, se trouvent

On notera aussi comment Évagre s'emploie à écarter la tentation épicurienne à laquelle cède assez souvent l'Ecclésiaste. Pour le Pontique, il ne saurait être question dans le livre que de joie et de jouissance spirituelles ; les biens évoqués ne peuvent être que les biens véritables de la vertu et de la science, et non les biens matériels[1]. Le changement majeur apporté non seulement par Évagre, mais par tous les commentateurs chrétiens du livre, consiste à introduire l'idée d'un jugement et d'une rétribution *post mortem*, idée qui était sans aucun doute bien étrangère à Qohèleth, mais qu'un scribe pieux s'était déjà empressé d'ajouter dans le dernier verset du chapitre 12. Nous aurons l'occasion de revenir dans la suite sur cette question du jugement.

La lecture que propose Évagre est une lecture philosophique et spirituelle. Le livre n'alimente pas, comme c'est le cas chez d'autres commentateurs qui ont des préoccupations plus pastorales, les habituelles diatribes contre les diverses vanités qui divertissent et abusent les hommes, à savoir les richesses, les plaisirs, la beauté ou encore le pouvoir. Tout au plus trouvera-t-on ici, dans une interprétation présentée comme littérale, une attaque assez précise dirigée contre les riches sans enfants qui amassent pour eux-mêmes et sont d'accès difficile pour leurs amis (schol. 28).

---

mêlés : « La vanité est un état mauvais de l'âme raisonnable, dans lequel elle préfère les plaisirs corruptibles et méprise ce qui est éternel et incorruptible » (schol. 2 *ad Ps.* 143, 4) ; « Vains sont ceux qui persévèrent dans les réalités vaines et corruptibles de ce siècle » (schol. 4 *ad Ps.* 61, 10).

1. Il y a sans doute là les vestiges d'une polémique concernant ce livre de la Bible, certains jugeant que l'Ecclésiaste est influencé par l'épicurisme aussi bien dans sa morale que dans sa cosmologie. Dans le commentaire d'*Eccl.* 1, 1 (p. 252), JÉRÔME s'en prend aussi à ceux qui pensent que le livre provoque à la volupté et à la luxure. Rappelons que dans une autre perspective, CLÉMENT D'ALEXANDRIE (*Strom.* V, 90, 2) affirme que la doctrine épicurienne du hasard provient d'une

IV. LE LIVRE DE LA «PHYSIQUE»

La scholie 247 *ad Prov.* 22, 20 avait établi un parallélisme entre les trois livres attribués à Salomon et les
trois grandes étapes de la vie spirituelle : «Celui qui
aura élargi son cœur par la pureté comprendra les
paroles de Dieu qui sont pratiques, physiques et théologiques, car toute la doctrine de l'Écriture se divise en
trois parties : éthique, physique et théologie ; et les Proverbes se rapportent à la première, l'Ecclésiaste à la
seconde, le Cantique des cantiques à la troisième[1].»

Est-ce à dire que le livre de l'Ecclésiaste ne devra
recevoir qu'une interprétation «physique»? Certainement pas. Le fait de reconnaître que tel livre biblique a
un *skopos* particulier n'implique pas pour notre auteur
que tout le livre doit être interprété dans une perspective unique et qu'il faut chercher à tout prix, moyen-
nant divers tours de force, à découvrir un sens conforme
à cette visée. La lecture des *Scholies aux Proverbes* nous
a déjà montré qu'Évagre ne s'en tenait pas alors exclu-
sivement à une interprétation morale : de nombreux
versets renvoyaient à la gnose, ou plus précisément à la
physique et à la théologie. Le chapitre 20 du *Gnostique*
recommande d'ailleurs au commentateur de considérer
chaque verset en lui-même, indépendamment de la

---

mauvaise compréhension de la doctrine de Qohèleth (voir ci-dessous,
note à la scholie 36).
  1. Pour l'origine de ce parallélisme, voir la note à la scholie 247, et
les deux articles suivants : S. LEANZA, «La classificazione dei libri
Salomonici e i suoi riflessi sulla questione dei rapporti tra Bibbia e
scienze profane, da Origene agli scrittori medievali», *Augustinianum*
14 (1974), p. 651-666 ; M. HARL, «Les trois livres de *Salomon* et les
trois parties de la philosophie dans les Prologues des Commentaires
sur le *Cantique des Cantiques* (d'Origène aux Chaînes exégétiques
grecques)», in *Texte und Textkritik* (*TU* 133), Berlin 1987, p. 249-269.

visée générale du livre, pour en déterminer d'abord le contenu littéral (moral, physique ou théologique) et ensuite le contenu symbolique ou spirituel, qui ne se situera pas nécessairement au même niveau que le sens littéral : c'est ainsi qu'un texte traitant de la nature pourra très bien recevoir une interprétation morale ou théologique, ou tout simplement conserver une signification physique. Ce type d'interprétation pluraliste se perpétuera jusqu'à Olympiodore, un commentateur du VIᵉ s. Les propos que ce dernier tient dans la préface à son Commentaire de l'Ecclésiaste (*PG* 93, 477 C - 479 A) reflètent très exactement le point de vue et la pratique d'Évagre : après avoir repris le parallélisme entre les trois livres salomoniens et les trois étapes du progrès spirituel, Olympiodore déclare qu'il est possible de trouver un enseignement sur l'éthique dans l'Ecclésiaste, un enseignement physique dans les Proverbes, ou encore un enseignement sur les intelligibles dans les deux livres mentionnés ; seul le Cantique des cantiques serait tout entier consacré aux intelligibles [1]. Ces précisions apportées, on reconnaîtra toutefois que l'interprétation physique occupe une place de choix dans ces scholies. On y trouvera un certain nombre de considérations sur la « nature ». Il ne faudrait cependant pas se méprendre sur le sens des mots. Cette « physique » ne s'attache pas à étudier scientifiquement les phénomènes naturels ; elle est au contraire fortement spiritualisée et se donne comme radicalement distincte de la sagesse profane, que le Sauveur a frappée de folie (schol. 27). La « physique » évagrienne s'applique à saisir l'aventure spirituelle de l'ensemble des « natures raisonnables » (αἱ λογικαὶ φύσεις).

---

1. Concernant ce dernier point nous ne connaissons pas l'opinion d'Évagre, car il n'a pas commenté le troisième livre de la « trilogie salomonienne », le Cantique des cantiques.

La contemplation naturelle a comme objet immédiat
le monde présent : cf. le commentaire d'*Eccl.* 3, 11 (« Et
il a donné le siècle à leur cœur») dans la scholie 15. Elle
permet d'estimer à sa juste valeur le monde matériel et
sensible dans lequel l'homme a été placé après la chute,
un monde qui n'est pas mauvais en soi, mais tout simplement indifférent : tout dépend de l'usage qui en est
fait (schol. 16). D'un certain point de vue, ce monde
constitue même un véritable don de la providence
divine, car il met l'âme déchue à l'abri des créatures qui
sont encore descendues plus bas qu'elle dans l'échelle
des êtres, c'est-à-dire les démons et le diable. Les
occupations (περισπασμοί)[1] et les pensées qui absorbent
les hommes (se nourrir, soigner ses enfants, exercer un
métier, gagner de l'argent pour subvenir aux besoins
d'une famille, etc.) sont dans un premier temps tout à
fait salutaires, en ce qu'elles les protègent des sugges-
tions mauvaises des êtres inférieurs. Elles ont cependant un caractère temporaire, car elles ne correspondent pas à la vocation véritable de l'homme.
Celui-ci doit en effet comprendre que le temps présent
constitue pour le pécheur qu'il est l'occasion unique
(καιρός) de se corriger et de parvenir au plein épanouis-
sement moral (schol. 63 et 70). La pire chose qui puisse
lui arriver est que la mort physique le surprenne alors
qu'il est encore spirituellement mort (schol. 63). Monde
intermédiaire, le monde humain est donc à la fois une
protection contre des êtres davantage déchus et une
occasion de progresser spirituellement.

Dès lors qu'il aura acquis une certaine pureté,
l'homme ne pourra plus se satisfaire de la connaissance

---

1. Le verbe περισπᾶσθαι et le substantif περισπασμός sont les
termes les plus caractéristiques du livre de l'Ecclésiaste. Ils désignent
ces occupations qui absorbent totalement les hommes. Pour un
emploi similaire, voir *Luc* 10, 40 où il est dit que «Marthe était absor-
bée (περιεσπᾶτο) par les multiples soins du service».

superficielle et limitée des choses (la connaissance sensible : ἡ διὰ τῶν αἰσθήσεων κατανόησις), mais il tendra vers une connaissance plus subtile de celles-ci, celle de leurs raisons et des principes rationnels qui ont présidé à leur existence (οἱ λόγοι). Se détachant de plus en plus du monde sensible, il prendra alors pleine conscience de la vanité de celui-ci et de son caractère éphémère et corruptible, il se rendra compte que ce monde sensible était une prison (schol. 33) et l'ombre (σκιά) de la réalité (schol. 52). Au delà des apparences sensibles, il découvrira la sagesse du créateur en action dans le monde et les êtres (« la sagesse pleine de variété » d'*Éphés.* 3, 10 : schol. 18). En lui, dans son intellect, se constituera alors un monde qui le frappera d'étonnement (schol. 2), et qui n'est autre que le royaume des cieux promis par les béatitudes (schol. 19), ou ce royaume intérieur évoqué par le Christ en *Luc* 17, 21 (schol. 15). Ce monde intérieur, dont l'existence lui était caché quand il était encore sous l'empire des passions, formera cette « Église » qui est suggérée par le titre même de l'ouvrage, une église intelligible, constituée des différents *logoi* ou *théorêmata* qui se révèlent à lui (schol. 1 et 2)[1].

Son attention se portera particulièrement sur les *logoi* du jugement et de la providence. La contemplation du jugement fera apparaître que les différents ordres de créatures (anges, hommes et démons) ne sont pas le produit de la volonté arbitraire d'un démiurge partial — il n'y a pas de προσωποληψία auprès du Créateur : cf. *Rom.* 2, 11 ; *Éphés.* 6, 9 —, mais qu'ils sont issus d'un juste jugement qui n'a fait que sanctionner l'inclination de leur libre arbitre (schol. 52). Il n'est dès lors pas

---

1. Dans le même sens, la scholie 291 *ad Prov.* 24, 27 parle d'un champ intelligible constitué des *logoi* de ce monde, champ dans lequel seuls les cœurs purs peuvent entrer. Ailleurs il est question d'un « monde intelligible » (*KG* V, 41) ou d'« un monde constitué dans la pensée » (*Skemmata* 14, 38 et 39).

question de contester les décisions de Dieu (cf. *Jér.* 12, 11 : schol. 67). L'homme ne peut se plaindre d'avoir été joint à un tel corps et de n'avoir point été fait ange. Évagre reprend les mots employés par saint Paul en *Romains* 9, 20, qui mettent un terme à toute contestation : «Comment l'être façonné dira-t-il à celui qui l'a façonné : Pourquoi m'as-tu fait ainsi ? Comment répliquera-t-il à Dieu ?» Chaque créature a reçu un nom qui lui est propre et qui correspond à son état spirituel (schol. 52).

Les lamentations ne sont pas de mise non plus devant le désordre apparent du monde présent, un monde dans lequel le plus fort opprime le faible, la justice est bafouée, le juste échoue et l'inique réussit. Certains événements malheureux qui se produisent, dans lesquels la créature semble totalement abandonnée de Dieu, ne sont d'ailleurs pas dépourvus de signification : ils visent à châtier et à faire revenir à de meilleurs sentiments les méchants, ou bien à mettre en valeur et à renforcer la vertu des justes qui deviennent alors pour les autres des modèles vivants (sur ces différentes formes de déréliction, cf. schol. 4, 37, 61, et naturellement *Gnostique* 28). En dépit des apparences, ce monde n'est pas livré au hasard (αὐτοματισμός), mais régi par la providence divine qui s'exerce par l'intermédiaire des saints anges (schol. 38) : c'est à eux en effet que Dieu a confié les différentes nations (cf. *Deut.* 32, 8 : *ibidem*) et chaque homme en particulier (doctrine de l'ange gardien : schol. 30-31). Les événements (τὰ συναντήματα) heureux ou malheureux qui semblent frapper indifféremment chaque homme ne permettent assurément pas de désigner clairement les justes et les méchants (cf. le verbe διαγιγνώσκειν de la schol. 21, qui fait écho au verbe διακρίνειν présent en *Eccl.* 3, 18), et le succès des impies peut en décourager et en abuser plus d'un (cf. *Ps.* 72, 2-3 : schol. 62 et 67). A la question : «Quelle supériorité a l'homme sur le bétail ?», l'Ecclésiaste répondait :

«Aucune, car tout est vanité». En ajoutant à la réponse l'adverbe νῦν, Évagre modifie la perspective et introduit une idée absente du livre biblique (schol. 21) : la situation qui prévaut actuellement disparaîtra lors d'un nouveau jugement qui mettra fin au siècle présent et inaugurera le «siècle à venir». Au cours de ce jugement, tout deviendra évident et manifeste (cf. φανεροῦν de la scholie 20 et γνώριμος de la scholie 21); chacun rendra des comptes et sera rétribué selon ses actes (schol. 20 et 38). Ceux qui n'auront pas su saisir l'occasion offerte dans le monde présent et qui auront persévéré dans la malice et l'ignorance n'auront pas la possibilité de faire marche arrière et de revenir ici-bas pour y pratiquer le bien (schol. 21). Ils seront livrés à un châtiment cruel, et le «bon maître» à qui sera confiée leur rééducation sera chargé de faire disparaître toute la perversité qui subsiste encore en eux (la scholie 14 renvoie explicitement aux *Scholies aux Proverbes* où ce thème a été amplement développé; voir aussi la scholie 17, où il est affirmé que le mal n'est pas éternel).

Dépassant le monde limité des êtres humains et cette vie présente, le contemplatif embrassera aussi de son regard la multitude des «siècles», ceux qui ont été produits et ceux qui le seront (cf. schol. 19 : οἱ λόγοι τῶν γεγονότων καὶ γενησομένων αἰώνων). Il possédera «la science véritable des siècles et des mondes» (schol. 1); il connaîtra «les raisons des siècles et des mondes» (schol. 2). Les perspectives sont autrement plus vastes que celles que propose Qohèleth, dont les réflexions sur le temps se ramènent au constat banal qu'il n'y a rien de nouveau sous le soleil et que les mêmes événements ne cessent de se reproduire indéfiniment (*Eccl.* 3, 15). Pour Évagre, au contraire, l'histoire tend vers une fin (τέλος) bienheureuse et elle verra, à travers plusieurs siècles (αἰῶνες), le retour de tous les êtres à leur condition originelle. Le contemplatif saisira en même temps la grande variété des créatures. La scholie 24 évoque

certains êtres qui n'ont pas connu le mal, « qui n'ont pas
connu la peine mauvaise déployée par les oppresseurs
de ceux qui sont sous le soleil », et qui peuvent être aussi
bien les êtres premiers que les anges. Le plus souvent, il
est question des êtres postérieurs à la chute, répartis
dans trois mondes différents (angélique, humain et
démoniaque), et qui sont habituellement désignés par le
terme de γεγονότα (voir index). L'homme, qui occupe
une position intermédiaire, se trouve soumis aux
influences contraires des démons et des anges qui l'en-
tourent.

Certaines scholies évoquent un au-delà de la contemplation physique : la science de Dieu lui-même ou la
science de la sainte Trinité. Face à cette contemplation
supérieure, la contemplation physique apparaîtra aussi
vaine que le sont les médicaments chez quelqu'un qui a
recouvré une totale santé (schol. 2). Cette vision de
Dieu suppose le détachement du sensible (schol. 44) et
le dépassement de tous les concepts (τὰ νοήματα :
schol. 3). L'exercice de cette contemplation n'est d'ailleurs pas sans danger pour l'homme et, dans son
commentaire d'*Eccl.* 5, 1-2 consacré à la prière et aux
vœux, Évagre met en garde contre le manque de prudence dont on pourrait faire preuve à ce stade élevé de
l'activité spirituelle. La faiblesse de la condition
humaine ne permet pas de « tenir un discours sans erreur
sur Dieu, qui est parmi les intelligibles et échappe totalement aux sens » (schol. 35). La scholie 8 avait déjà
indiqué les limites imposées par notre condition à la
science : il y était question de « toute la science qui peut
naturellement survenir dans une âme liée au sang et à la
chair ». Évagre ne distingue pas toujours nettement
entre le destin personnel de chaque homme et le destin
collectif des êtres raisonnables. Les résultats acquis par
l'homme demeurent précaires, étant donné le caractère
versatile de sa nature (schol. 31). Nul n'est à l'abri de
cruelles rechutes, même le spirituel le plus éprouvé

(schol. 36, 43, 46 et 60). L'union à Dieu ne sera parfaite et définitive qu'à la fin des temps, quand les natures raisonnables auront atteint le terme (τέλος) fixé, qui n'est autre que la béatitude promise dans le Sermon sur la montagne (schol. 55), quand elles auront quitté ce qu'elles avaient de féminin et d'enfantin et seront parvenues à la pleine maturité virile qui les rendra dignes d'être recensées dans le Nombre de Dieu (schol. 6). C'est alors que se réalisera la prière de Jésus : « Donne-leur d'être, eux aussi, un en nous, comme toi et moi sommes un, Père » (formulation plus dense de *Jean* 17, 21-22), et que « Dieu sera tout en tous » (cf. *I Cor.* 15, 28).

Pour terminer, il convient de souligner le rôle essentiel que joue le Christ dans cette grande aventure du salut. Par sa venue sur terre, il est venu bouleverser l'ordre ancien dans lequel les démons avaient le dessus (schol. 23). Le Christ est le dispensateur de la science, il est l'« Ecclésiaste » de cette Église intelligible dont nous avons parlé plus haut (schol. 1) ; c'est lui qui élève à la dignité de fils adoptifs (schol. 28). Sans lui, il est impossible d'avoir part à la vertu et à la science, que symbolisent sa chair et son sang (schol. 13), et d'être saisi par la ferveur de l'Esprit (schol. 29).

Avec de telles vues nous sommes loin de ce que pouvait imaginer Qohèleth. Ce dernier ne considérait que le monde présent. L'idée d'un jugement et d'une rétribution lui étaient étrangères. Évagre propose au contraire une histoire cosmique d'une ampleur que l'auteur biblique n'aurait jamais pu soupçonner et dont l'issue heureuse s'accorde mal avec le pessimisme et le scepticisme que ce dernier affichait. Voilà bien un tour de force que seule pouvait réaliser l'exégèse symbolique : découvrir dans un livre aux perspectives somme toute assez réduites les traces d'une histoire grandiose et généreuse du salut.

CHAPITRE II

LA TRADITION MANUSCRITE DES SCHOLIES

La collection de 73 scholies que nous éditons ici correspond à la série qui est présente dans le *Coislin 193*. Nous ne saurions affirmer qu'elle représente la totalité du commentaire d'Évagre. Cependant notre étude des chaînes exégétiques à l'Ecclésiaste ne nous a pas permis de découvrir de nouveaux fragments d'Évagre d'une authenticité incontestable. Bien au contraire les quelques textes supplémentaires mis par telle ou telle chaîne sous son nom ont toute chance d'être inauthentiques ; nous reviendrons sur la question à la fin du chapitre.

I. MANUSCRITS DONNANT LE TEXTE ORIGINAL

A : Codex *Parisinus Coislinianus 193*. XIᵉ siècle, parch., mm 282 × 215, ff. II. 267 (+ 191ᵃ), 24 lignes[1].
Les scholies d'Évagre forment la seconde pièce de cet important recueil de mélanges, dont nous avons donné récemment une analyse détaillée[2]. Elles apparaissent aux folios 16ᵛ-33 sous le titre : Σχόλια εἰς τὸν

---

1. R. DEVREESSE, *Le fonds Coislin*, Paris 1945, p. 168.
2. P. GÉHIN, «Un recueil d'extraits patristiques : les *Miscellanea Coisliniana* (*Parisinus Coislinianus* 193 et *Sinaiticus gr.* 461)», *Revue d'Histoire des Textes* 22 (1992), p. 89-130.

Ἐκκλησιαστήν. Anonymes, elles alternent avec des leçons hexaplaires facilement repérables. A l'origine, quand pour un même verset on avait une leçon hexaplaire et une scholie, la seconde était introduite par ἄλλος ; quelques-uns de ces ἄλλος ont subsisté (avant schol. 2 *ad Eccl.* 1, 2 ; 4 *ad Eccl.* 1, 13 ; 50 *ad Eccl.* 6, 9 ; 64 *ad Eccl.* 7, 18) ; la plupart du temps, leçon hexaplaire et scholie se trouvent réunies (*ad Eccl.* 3, 15 ; 4, 5.14 ; 5, 1-2.12 ; 7, 1.15) ; on notera toutefois que le terme ἄλλος qui scinde la scholie 35 *ad Eccl.* 5, 1-2 a une autre fonction puisqu'il introduit une seconde interprétation du verset [1].

Codex *Sinaiticus gr. 461.* Vers 1425, pap., mm 274 × 197, ff. 200 (+ 129 B). [I], 2 col., 37 lignes [2].

Le volume est mutilé, et certains folios sont déplacés. Les scholies originellement placées en tête du volume se trouvent à présent rejetées à la fin, aux folios 193-196ᵛ. Elles commencent mutilées par les mots καὶ φῶς καὶ ζωὴ (schol. 42, l. 3). Le manuscrit du Sinaï qui est une copie très fidèle du manuscrit *Coislin* n'apporte rien à l'établissement du texte, et nous n'en avons pas tenu compte dans l'apparat critique.

B : Codex *Iviron 555 (= Athous 4675).* xivᵉ s., pap. [3].

Ce manuscrit offre un premier choix de scholies aux folios 246-249 et un second choix aux folios 259ᵛ-261. Les deux séries, complémentaires, transmettent d'une

---

1. Géhin, « Un nouvel inédit », p. 188-189. — Édition de ces leçons hexaplaires dans l'Appendice, ci-dessous, p. 179-182.

2. V. Gardthausen, *Catalogus codicum graecorum Sinaiticorum*, Oxford 1886, p. 113. Rien dans la description particulièrement sommaire de Gardthausen ne laissait prévoir la présence de ces scholies. Pour une analyse détaillée, voir notre article « Un recueil d'extraits patristiques », p. 91-96.

3. Sp. P. Lambros, *Catalogue of the Greek Manuscripts on Mount Athos*, t. II, Cambridge 1900, p. 169-170 ; Géhin, « Un nouvel inédit », p. 189-192 ; *Scholies aux Proverbes*, Introd., p. 63-65.

façon assez négligée un total de 17 scholies[1] (pour certaines d'une façon incomplète). Dans la première série une leçon hexaplaire portant sur *Eccl.* 5, 19 est intercalée entre les scholies 44 et 45, et la scholie 36 comporte une interpolation de plusieurs lignes se rapportant aux quatre vertus cardinales.

Il existe une copie directe de ces textes dans le manuscrit *3* de la Skite du Prodrome, une anthologie compilée en 1709 par le moine athonite Joseph de Sinope. Les pages 232-241 de cette copie[2] correspondent aux folios 246-261 de l'*Iviron 555*.

II. SCHOLIES TRANSMISES PAR LES CHAÎNES EXÉGÉTIQUES

Les scholies d'Évagre ont été utilisées par quatre types de chaînes où elles se présentent soit sous leur forme originale, soit sous une forme très abrégée qui remonte à Procope de Gaza.

A. *La chaîne vaticane*

E : Codex *Vaticanus gr. 1694*. Année 1203, parch., mm 185 × 127, ff. II.78 (I-II, 77-78 pap. add.), 22

---

1. Géhin, « Un nouvel inédit », p. 189-190.

2. Ces pages comprennent donc, en plus des 2 séries de scholies à l'Ecclésiaste, la première série de scholies aux Proverbes (voir Géhin, *Scholies aux Proverbes*, Introd., p. 63-65). Le ms. de la Skite du Prodrome, une dépendance d'Iviron, est décrit par L. Politis, et M. I. Manoussakas, Συμπληρωματικοὶ κατάλογοι χειρογράφων Ἁγίου Ὄρους (= Ἑλληνικά. Παράρτημα 24), Thessalonique 1973, p. 236-240. Le copiste Joseph a aussi repris dans son anthologie les scholies aux Proverbes numériques des f. 263-265 et le fragment de chaîne sur le Cantique des cantiques des f. 261-263 (voir notre article, « Un nouvel inédit », p. 190-191).

lignes [1]. La souscription placée aux folios 75^v-76 indique que le manuscrit a été copié en 1203 sous le règne de l'empereur Alexis <III> et de l'impératrice Euphrosynè par le prêtre et *nomikos* Michel Gazès [2].

Cette chaîne, qui occupe les folios 1-70, ne commente que les sept premiers chapitres de l'Ecclésiaste [3]. Le texte biblique signalé en marge par des guillemets alterne avec le commentaire, précédé de la mention ἑρμεινία ou ἑρμ^{μν} *(sic)*. Quatre auteurs forment le fonds de cette chaîne : Olympiodore, Grégoire de Nysse (pour les trois premiers chapitres), Grégoire le Thaumaturge et Évagre (59 scholies présentes, sur les 64 qui commentent *Eccl.* 1-7). Plusieurs interpolations brèves relèvent d'un souci de rendre plus explicites certaines données ou d'une volonté d'honorer le Christ et les saints [4]. Les folios restants (f. 70-75^v) sont occupés par une suite de petits textes scolaires :
[1] (f. 70-73^v) Extraits de l'*Hodègos* d'Anastase le Sinaïte au milieu desquels se trouve un petit traité sur la différence entre barbarisme et solécisme [5].   [2] (f. 73^v-74). Trois listes de propriétés (ἰδιώματα) : propriétés de la nature divine, des anges et de la nature humaine.
[3] (f. 74-75). Traité sur les quatre vertus cardinales et les vices qui leur sont opposés [6].   [4] (f. 75^{r-v}). Listes sur la constitution de

---

1. Décrit par C. GIANELLI, *Codices Vaticani graeci. Codices 1684-1744 (addenda et corrigenda* de P. CANART), Cité du Vatican 1961, p. 18-20.

2. Voir A. TURYN, *Codices graeci saeculis XIII et XIV scripti annorumque notis instructi*, Cité du Vatican 1964, p. 19-21, planches 1 et 159a (bibliographie du ms. dans la notice). L'auteur note que le ms. a nécessairement été écrit avant le 18 août 1203, date de la chute de l'empereur Alexis III Ange.

3. Le catalogue de KARO-LIETZMANN, p. 312, se contente de signaler le ms. sous le type II ; FAULHABER ne l'étudie pas.

4. Dans la scholie 6, David devient le divin David ; dans la scholie 13 où il est question de la chair et du sang du Christ, les mots τὰς σάρκας sont remplacés par τὸ ἄχραντον σῶμα, et τὸ αἷμα est affecté de l'épithète liturgique τίμιον. On trouvera d'autres exemples dans l'apparat critique des scholies 10, 23, 24, 35, 47, 61, 63 et 68.

5. Voir K.-H. UTHEMANN, *Anastasii Sinaitae Viae Dux (CCSG* 8), Turnhout-Louvain 1981, p. LVI-LVII (ms. mentionné sous le n° 101).

6. Ce court traité est transmis sous une forme plus satisfaisante par plusieurs autres manuscrits, dont le plus ancien semble être le codex *Utrecht, Bibl. Univ. 3 (gr. 7)* (XIIIe s.), f. 103^{r-v} (où le texte est attribué à Maxime le Confesseur). Pour chaque vertu on a deux vices

l'homme : définition, trois parties, quatre humeurs, cinq sens[1], qua-
torze εἴδη.

En 1297/1298, un scribe d'Italie méridionale, Kalos
Hagiopétritès, a copié au milieu de mélanges divers un
court extrait de cette chaîne qui correspond à la scholie
36 d'Évagre ; même si sa copie est peu soignée (on relève
en effet la répétition d'un passage et le déplacement de
plusieurs phrases), elle témoigne de la présence d'un
manuscrit contenant la chaîne vaticane en Italie méridionale à la fin du XIIIe s. L'extrait en question se lit
actuellement au folio 7v du *Parisinus Suppl. gr. 681*, qui
est un recueil factice composé de différents fragments
de manuscrits grecs rassemblés par Minoïde Mynas
(1798-1859). Les folios qui sont de la main de Kalos
Hagiopétritès (fol. 2, 4, 6, 7 et 9) ont été arrachés à
l'*Iviron 190 (= Athous 4310)*[2].

Il existe une copie complète de la chaîne vaticane
dans le *Sinaiticus gr. 311* (année 1510), folios 5-56.
L'existence de cette copie a été révélée en 1984 par
A. Labate[3].

---

opposés illustrés par le comportement de certains animaux ou de certains groupes humains.

1. La mention des cinq sens est suivie d'une sentence qui semble
s'inspirer d'Évagre, *KG* I, 15 : Τούτων δὲ πέντε αἰσθήσεων ἀναιρουμένων, οὐ συναναιροῦνται τὰ τέσσαρα · τῶν δὲ τεσσάρων χυμῶν ἤτοι
στοιχείων ἀναιρουμένων, συναναιροῦνται αἱ πέντε αἰσθήσεις (« Quand ces
cinq sens sont enlevés, les quatre ne sont pas enlevés avec eux ; mais
quand les quatre humeurs ou [les quatre] éléments sont enlevés, les
cinq sens sont enlevés avec eux »).

2. Ph. HOFFMANN, « Un recueil de fragments provenant de Minoïde
Mynas : Le *Parisinus Suppl. gr.* 681 », *Scriptorium* 41 (1987), p. 115-
127. Voir aussi, du même, la notice 34 dans *Les manuscrits grecs datés
des XIIIe et XIVe siècles conservés dans les bibliothèques publiques de
France*. Vol. I : *XIIIe siècle* (sous la direction de Ch. ASTRUC), Paris
1989, p. 79-81.

3. LABATE, « Nuove catene », p. 257-261.

B. *La chaîne dite de Polychronius*

Ce type de chaîne (type I de Karo-Lietzmann, B de Faulhaber) a une tradition manuscrite abondante : plus de trente manuscrits qui se répartissent en trois familles[1]. Il a un fonds commun avec la chaîne vaticane, et on retrouve pour l'esssentiel les quatre auteurs déjà mentionnés[2]. Les indications d'attribution sont assez nombreuses, mais elles ne méritent malheureusement pas un grand crédit; qu'on en juge par celles qui apparaissent au folio 72[r-v] de l'*Ambrosianus A 148 inf.*, le plus ancien témoin de ce type de chaîne[3].

sur *Eccl.* 2, 10[1-2]	Polychronius : en réalité Grégoire de Nysse, *Hom.* IV.
sur *Eccl.* 2, 10[3]	Polychronius : scholie 9 d'Évagre.
sur *Eccl.* 2, 11[1-3]	Grégoire de Nysse : attribution exacte, *Hom.* II.
sur *Eccl.* 2, 11[4-5]	Eustathe d'Antioche : scholie 10 d'Évagre.
	Du même : en fait Grégoire de Nysse, *Hom.* IV.
sur *Eccl.* 2, 12	Didyme : en réalité Grégoire le Thaumaturge.
	Basile : montage fait à partir d'extraits de l'*Homélie* V de Grégoire de Nysse.

Comme on le voit, à cet endroit, six attributions sur sept se révèlent inexactes. Il faut toutefois noter que la

---

1. *CPG* IV, n° C 102 : voir Karo-Lietzmann, p. 311-312 et Faulhaber, p. 148-159 (ce savant a examiné 14 témoins); nouvelle liste de témoins dressée par A. Labate, «Nuovi codici della catena sull' Ecclesiaste di Policronio», *Augustinianum* 18 (1978), p. 551-553 (où les textes du *Coislin 193* et de l'*Iviron 555* sont considérés à tort comme des extraits de cette chaîne; pour quelques témoins l'auteur apporte des précisions supplémentaires dans son article «Nuove catene», p. 243-250 et 262. L'attribution de cette chaîne à Polychronius d'Apamée est sans fondement, et l'apparition du sigle Πολυχρονίου qui s'applique à des textes d'auteurs divers reste pour l'instant inexpliquée.

2. Analyse des sources par A. Labate, «Sulla Catena all'Ecclesiaste di Polichronio», *Studia Patristica* XVIII, 2, Kalamazoo-Louvain 1989, p. 21-35.

3. Seul témoin utilisé pour la présente édition.

mention erronée d'Eustathe d'Antioche[1] pourrait être le résultat d'une mauvaise interprétation du sigle Εὐαγρίου présent à un stade antérieur de la tradition manuscrite ; une confusion du même ordre entre Évagre et Eusèbe apparaît dans certaines chaînes aux Proverbes et aux Psaumes[2].

H : Codex *Ambrosianus A 148 inf. (gr. 809)*. Xe s., parch., mm 302 × 231, ff. II. 260 (+ 78 bis). I. Chaînes marginales aux trois livres de Salomon et au livre de Job[3].

La chaîne à l'Ecclésiaste, qui occupe les folios 69-92[v], offre un choix de 52 scholies évagriennes en général assez fidèlement reproduites[4]. Comme dans la *Coislin 193*, la leçon hexaplaire portant sur *Eccl.* 5, 1 se trouve réunie à la scholie 35.

C. *Chaînes dérivées de l'Épitomé de Procope de Gaza*

Les scholies d'Évagre sont également présentes dans trois témoins de l'*Épitomé* de Procope de Gaza[5]. Les

---

1. Les deux fragments attribués à Eustathe ont été édités par F. CAVALLERA, *S. Eustathii in Lazarum, Mariam et Martham homilia christologica*, Paris 1905, p. 81 (fragments 40[1 et 2]), et repris par M. SPANNEUT, *Recherches sur les écrits d'Eustathe d'Antioche*, Lille 1948, p. 124 (fragments 79 et 80). Le premier texte est à restituer à Évagre (schol. 10), et le second à GRÉGOIRE DE NYSSE (extrait de l'*Homélie* IV, p. 352, l. 16-17, et p. 353, l. 1-5).

2. Voir GÉHIN, *Scholies aux Proverbes*, Introd., p. 69 et 71, et RONDEAU, *Commentaires du Psautier*, p. 266-267.

3. Description de A. MARTINI et D. BASSI, *Catalogus codicum graecorum Bibliothecae Ambrosianae*, t. II, Milan 1906, p. 905-906 ; KARO-LIETZMANN, p. 301, 311, 313 et 322 ; FAULHABER, p. 40, 110 et 149 ; RAHLFS, *Verzeichnis*, p. 125.

4. On note seulement une tendance à abréger, particulièrement sensible dans tout ce qui touche au matériel scripturaire : certaines formules introductrices des citations se trouvent fortement réduites (schol. 30 et 53) et certaines citations sont débarrassées de ce qui n'est pas directement en rapport avec le sujet traité (schol. 23, 30 et 35). Exemples de καὶ ἑξῆς ou de καὶ τὰ ἑξῆς touchant l'interprétation elle-même dans les scholies 6 et 35.

5. *CPG* III, n° 7433, et IV, n° C 101.

deux premiers témoins, les manuscrits *Vindobonensis theol. gr. 147* et *Marcianus gr. 22*, sont tronqués : le commentaire s'arrête à *Eccl.* 4, 6, et les indications d'auteurs sont assez souvent fantaisistes. Ils ont été publiés en deux temps par S. Leanza dans le *Corpus Christianorum*[1]. Le troisième témoin, le codex *Iviron 676*, commente l'ensemble de l'Ecclésiaste, mais il présente l'inconvénient de ne comporter aucune mention d'auteurs. Le titre de la compilation se présente ainsi dans le manuscrit de Vienne :

Προκοπίου χριστιανοῦ σοφιστοῦ τῶν εἰς τὸν Ἐκκλησιαστὴν ἐκλογῶν ἐπιτομή, ἀπὸ φωνῆς Γρηγορίου Νύσης καὶ Διονυσίου Ἀλεξανδρείας, Ὠριγένους, Εὐαγρίου, Διδύμου, Νείλου καὶ Ὀλυμπιοδώρου[2].

Ces trois témoins ne sont pas exactement superposables pour la partie qui leur est commune (comm. d'*Eccl.* 1 - 4, 6). Le manuscrit d'Iviron livre de nombreux textes absents des deux autres manuscrits, et ces deux manuscrits, qui sont très proches l'un de l'autre, ont quelques textes propres que ne possède pas le témoin athonite. L'exemplaire disparu dont ils dépendent tous trois directement n'était sans doute pas la recension originale de l'*Épitomé* de Procope, mais plutôt une chaîne dérivée de cet *Épitomé*. La différence de traitement de chaque auteur invite à le penser. Comment expliquer que Denys d'Alexandrie soit longuement cité et assez souvent *in extenso*, alors que les scholies d'Évagre (au nombre d'une trentaine) sont considérablement abrégées ? Nous avons sans doute ici une situation analogue à celle de la chaîne II aux Proverbes[3].

---

1. *CCSG* 4 et 4 *Suppl.* — Voir nos remarques dans « Un nouvel inédit », p. 193.

2. Il figure avec quelques variantes dans le ms. de Venise. La perte du folio initial de la chaîne à l'Ecclésiaste dans le ms. d'Iviron ne permet pas de dire si le titre figurait également dans ce ms.

3. GÉHIN, *Scholies aux Proverbes*, Introd., p. 68-70. Ces deux chaînes (aux Proverbes et à l'Ecclésiaste) ont été formées de la même façon : elles sont toutes deux le résultat de la fusion de l'*Épitomé* de Procope avec des éléments tirés des chaînes présentes dans le cod. *Hauniensis 6*. Le texte original de l'*Épitomé* ne s'est conservé que pour les Proverbes.

K : Codex *Vindobonensis theol. gr. 147.* xie et xiie s.,
parch., mm 240/255 × 188/202, ff. I. 210, 24 lignes[1].

L'extrait de l'*Épitomé* se présente sous la forme de scholies[2] placées en marge du livre de l'Ecclésiaste, du folio 92 au folio 97.

M : Codex *Marcianus gr. 22.* xiiie s., parch., mm
230 × 185, ff. 289 (+ 264 bis), entre 29 et 36 lignes[3].

L'extrait de l'*Épitomé* se présente cette fois en marge du commentaire d'Olympiodore, entre le folio 68[v] et le folio 83[r 4]. Seuls quelques
textes ont été écrits à pleine page : l'*hypothésis* du folio 67[v] qui est un
extrait de l'*Homélie* I de Grégoire de Nysse, et deux scholies intégrées
au Commentaire d'Olympiodore (scholie attribuée à Nil au f. 68[v], et
scholie faussement attribuée à Évagre au f. 82[v]).

N : Codex *Iviron 676 (= Athous 4796).* xive s., parch.,
ff. 167, autour de 32 lignes[5].

La chaîne à l'Ecclésiaste, écrite à pleine page, couvre les folios
129-166[v]. Le début est mutilé à la suite de la perte d'un folio avant le
folio 129 (le texte commence par les dernières lignes du commentaire
d'*Eccl.* 1, 4 et le lemme d'*Eccl.* 1, 5) ; on déplore la perte d'un autre
folio entre 143[v] et 144, qui contenait le commentaire d'*Eccl.* 5, 6-11.

---

1. Description et bibliographie dans H. HUNGER - O. KRESTEN -
Ch. HANNICK, *Katalog der griechischen Handschriften der Österrei-
chischen Nationalbibliothek.* Teil 3/2 : *Codices theologici 101-200*, Vienne
1984, p. 186-189.
2. S. Leanza qui n'a eu connaissance de ce ms. qu'après son édition
de *CCSG* 4 a publié dans un supplément les variantes et les additions
de ce ms. par rapport au *Marcianus gr. 22* : *Procopii Gazaei Catena in
Ecclesiasten. Un nuovo testimone della catena sull'Ecclesiaste di Proco-
pio di Gaza, il Cod. Vindob. Theol. Gr. 147* (*CCSG* 4 Supplementum).
3. Description et bibliographie dans E. MIONI, *Bibliothecae Divi
Marci Venetiarum codices graeci manuscripti.* Vol. I : *Thesaurus Anti-
quus. Codices 1-299*, Rome 1981, p. 36-37.
4. *Procopii Gazaei Catena in Ecclesiasten* (*CCSG* 4), p. 1-50. Le
commentaire d'Olympiodore, écrit à pleine page, couvre les f. 68-107[v]
(et pas seulement les f. 83-107[v], comme le dit MIONI, *loc. cit.*).
5. Description de Sp. P. LAMBROS, *Catalogue of the Greek Manuscripts on Mount Athos*, t. II, Cambridge 1900, p. 197. Voir aussi
RAHLFS, *Verzeichnis*, p. 14 ; LABATE, «Nuove catene», p. 241-242 ;
GÉHIN, *Scholies aux Proverbes*, Introd., p. 70.

D. *La chaîne Barberini*

L'étude de cette chaîne[1] vient en dernier, car elle a combiné des éléments d'origines diverses, en particulier certains éléments appartenant à la chaîne vaticane et d'autres appartenant à l'*Épitomé* de Procope de Gaza.

T : *Vaticanus Barberinianus gr. 388* (anc. *III. 107*). XIIIe s., parch. palimpseste, mm 215 × 165, ff. I. 165 (+ 142[a] et 161 bis). I, entre 17 et 25 lignes[2].

La chaîne à l'Ecclésiaste occupe les folios 1-130 et elle est suivie aux folios 130-162[v] d'une chaîne au Cantique des cantiques. La souscription placée au folio 164 indique que le manuscrit a été copié par un certain Jean pour le compte d'un prêtre nommé Nicolas. Au folio 1, on lit une note de possession : κτῆμα τοῦ ῥοδινοῦ Νεοφύτου. Les premiers versets (*Eccl.* 1, 1-15) et les derniers (*Eccl.* 12, 10-14) ont été copiés sans commentaire. Les auteurs cités sont : Denys, Évagre, Origène, Nil et Didyme. Les scholies d'Évagre y apparaissent dans deux rédactions différentes : la rédaction originale et la rédaction forte-

---

1. *CPG* IV, n° C 104.
2. Description sommaire dans l'inventaire manuscrit de la Bibliothèque vaticane, *Sala di Consultazione* 376, t. I. Les deux seules études consacrées à cette chaîne sont celles de FAULHABER, p. 163-165, et d'A. LABATE, «La catena sull'*Ecclesiaste* del cod. *Barb. gr. 388*», *Augustinianum* 19 (1979), p. 333-339. Bibliographie complémentaire dans M. BUONOCORE, *Bibliografia dei Fondi manoscritti della Biblioteca Vaticana (1968-1980)*, I (*Studi e Testi* 318), Cité du Vatican 1986, p. 106. Les feuillets de parchemin remployés dans ce ms., qui semblent tous provenir de livres liturgiques, ont au moins cinq origines puisqu'on relève cinq types d'écritures : onciale grecque (texte de 24 l., sur 2 col.), minuscule grecque seule, minuscule grecque avec notations musicales rubriquées dans l'interligne, grande onciale slave droite, petite onciale slave penchée. Sur les textes slaves sous-jacents, voir A. VOSTOKOV, «Russkij palimpsest», *Bibliografičeskie listy*, 1825, p. 229-232 (repris dans *Filologičeskie nabljudenija A. Kh. Vostokova*, éd. I. Sreznevskij, Saint-Pétersbourg 1865, p. 167-170) [références communiquées par M. Johannet].

ment résumée de Procope. Les attributions Εὐαγρίου accompagnent seulement les textes courts qui forment presque toujours doublets avec le texte intégral des scholies, lequel est anonyme[1].

III. SCHOLIES ISOLÉES

La scholie 27 est presque entièrement passée dans la *Catena Hauniensis* dont le fonds principal est le Commentaire de Denys d'Alexandrie[2] ; seule la fin de la citation de *Ps.* 83, 11 se trouve abrégée (καὶ ἑξῆς)[3]. Nous sommes en total désaccord avec A. Labate qui attribue en bloc à Denys d'Alexandrie l'ensemble du commentaire d'*Eccl.* 4, 6, soit la scholie que nous restituons à Évagre (l. 92-106)[4] et le texte qui suit (l. 106-

---

1. Les scholies nommément attribuées à Évagre ont été éditées par LABATE, «L'esegesi», p. 485-490. Sur les 15 attributions, 2 seulement se révèlent être fausses (*ad Eccl.* 4, 1 au f. 36ʳ⁻ᵛ et *ad Eccl.* 4, 4 au f. 38). L'éditeur n'a malheureusement pas remarqué que des textes d'une autre provenance avaient parfois été réunis aux scholies d'Évagre et, fait plus grave, n'a pas vu que ces textes brefs doublaient le texte intégral également présent. Voir nos remarques dans «Un nouvel inédit», p. 195 et n. 15. A noter enfin que les doublets restés anonymes ont échappé à cette édition.

2. Édition récente d'A. Labate (*CCSG* 24, 1992), IV, 92-106, p. 65-66. La scholie d'Évagre figure dans les trois témoins de cette chaîne, les codex *Hauniensis 6, Vindobonensis theol. gr. 11* et *Mosquensis Syn. gr. 147* (*ed. cit., praef.*, p. x-xvii), ainsi que dans une chaîne dérivée, contenue dans le codex *16* du *Collegio greco* de Rome (*Appendix*, p. 227). Le texte qu'offre l'*Iviron 676* est celui de la rédaction remaniée de Procope.

3. *Ed. cit.*, p. 66, l. 100. — Il est donc inexact de dire que c'est la *Catena Hauniensis* qui présente le texte le plus long (LABATE, préf. à l'éd., p. xxi).

4. L'authenticité évagrienne de ce texte ne saurait être mise en doute. On y trouve le couple κακία-ἀγνωσία, tout à fait caractéristique de notre auteur (voir schol. 35 et 54 à l'Ecclésiaste, schol. 7, 12, 74, 116, 164, 169, 202, 226 et 332 aux Proverbes ; à noter qu'il n'apparaît nulle part ailleurs dans la *Catena Hauniensis*) ; les citations bibliques

113). Un examen, même rapide, montre que l'on a affaire à deux exégèses indépendantes ; seule la seconde exégèse porte par son littéralisme et son style la marque de Denys d'Alexandrie[1].

Le début de la scholie 30 (jusqu'au mot ἀπορρηγ-νύμενον, à la ligne 5) se trouve inséré dans certains témoins manuscrits du Commentaire d'Olympiodore sur l'Ecclésiaste. Dans le *Parisinus gr. 153* (xie s.), l'insertion est signalée par l'attribution Εὐαγρίου placée dans la marge du folio 133[v] ; dans d'autres témoins postérieurs, le nom d'Évagre a disparu, et la scholie se trouve

---

qui accordent la préférence au peu se retrouvent dans un contexte identique dans la scholie 35 et dans deux scholies aux Psaumes ; la sentence finale (l. 104-106 de l'éd. Labate, l. 13-15 de notre édition), que Labate croit tirée d'un passage de l'Écriture qu'il n'aurait pas réussi à identifier, est une sorte d'apophtegme forgé par Évagre lui-même, dont on retrouve la teneur dans deux de ses scholies aux Psaumes (voir notre comm. *ad locum*). Ajoutons que la scholie est présente dans l'*Iviron 555* où les *Scholies à l'Ecclésiaste* voisinent avec les *Scholies aux Proverbes* et que son résumé est explicitement attribué à Évagre dans la chaîne Barberini.

1. En voici la traduction : « Ou bien ne vaut-il pas mieux trouver son repos dans peu de choses plutôt que s'occuper de beaucoup de choses et affronter les dangers du mauvais traitement ? Rien ne maltraite autant l'esprit que les soucis d'argent, comme le dit l'Apôtre : ' Ceux qui veulent s'enrichir tombent dans la tentation, les pièges, les nombreuses convoitises insensées et funestes, lesquels plongent les hommes dans la ruine et la perdition ' (*I Tim.* 6, 9). » Nous regrettons naturellement que Labate persiste dans son erreur et continue à refuser de reconnaître dans la *Collectio Coisliniana* l'exégèse d'Évagre le Pontique. La reconnaissance de ce fait lui aurait notamment permis une présentation plus claire de ses apparats des Chaînes et des Pères. En dépit des sérieuses critiques que nous avons à faire concernant les attributions, nous reconnaissons que l'édition de la *Catena Hauniensis* a été faite avec soin et qu'elle offre une base solide aux futurs recherches sur les Chaînes à l'Ecclésiaste. Nous avons dans ce domaine apporté notre contribution en éditant ce qui revient à Évagre ; la prochaine étape devrait être l'édition du Commentaire d'Olympiodore, qui est incomplet dans la *Patrologie grecque*. C'est alors seulement qu'il sera possible de reconstituer l'*Épitomé* de Procope et d'apprécier vraiment l'apport de chaque type de chaîne.

totalement intégrée au commentaire d'Olympiodore.
C'est notamment le cas dans le *Marcianus gr. 22*
(XIIe s.), au folio 85.

Enfin, dans la marge supérieure du folio 68 du codex
Ambrosianus C 313 inf. (Bible syro-hexaplaire), on lit
une traduction syriaque de la scholie 50 d'Évagre introduite seulement par le mot ܣܟܘܠܝܘܢ (= σχόλιον)[1].

IV. SCHOLIES INAUTHENTIQUES

Dans les chaînes apparaissent sous le nom d'Évagre
quelques scholies qui sont absentes de la *Collectio Coisliniana*. Doit-on les retenir et les ajouter à la série donnée
par le manuscrit parisien ? C'est ce qu'il faut examiner à
présent.

— *Ad Eccl.* 2, 13-14 : Καταδραμὼν τῷ λόγῳ τῆς
ματαιότητος — δέχονται.

Certains témoins manuscrits de la chaîne dite de Polychronius
mettent sous le nom d'Évagre ce long texte que nous n'avons pas
voulu reproduire, ainsi le *Marcianus gr. 21*, qui comporte au folio 85ᵛ
la mention suivante : Εὐα(γρίου). ἄλλος[2]. L'attribution se retrouve[3]
naturellement dans l'*Angelicus gr. 113*, qui est une copie du XVIe s. du
manuscrit de Venise, au folio 50. On notera d'abord que l'attribution
n'est pas stable, puisque dans le plus ancien témoin de cette chaîne,
l'*Ambrosianus*, le même texte est attribué à Basile. Il est en réalité un
montage fait à partir d'extraits de l'*Homélie* V de Grégoire de Nysse
(p. 354-359)[4]. Comme le texte qui suit est la scholie 11 d'Évagre, nous

---

1. La Bible syro-hexaplaire de l'*Ambrosianus C 313 inf.* (fin du
VIIIe - début du IXe siècle) a été reproduite par A. M. CERIANI, *Codex
Syro-hexaplaris Ambrosianus photolithographice editus* [*Monumenta
sacra et profana*, VII], Milan 1874. Ceriani renvoie au texte grec correspondant qui se trouve dans l'*Ambrosianus A 148 inf.* Les 7 autres
textes placés en marge du texte hexaplaire de l'Ecclésiaste proviennent du Commentaire d'Olympiodore.
2. FAULHABER, p. 149.
3. ID., p. 151.
4. LABATE, « L'esegesi », p. 486.

avons un cas tout à fait banal de déplacement d'une attribution vers le haut. Le plus étrange dans l'affaire est toutefois le maintien isolé du nom d'Évagre dans un type de chaîne qui semble l'avoir intentionnellement fait disparaître partout ailleurs.

— *Ad Eccl.* 2, 26 : Σημείωσαι ὅτι ὁ φαῦλος σοφίαν οὐ λαμβάνει ᾧ συνάψεις τὰ ἐν Ἡσαΐᾳ πρὸς τοὺς οἰήσει σοφούς· «μὴ εἴπης· ναί, γινώσκω αὐτά» (*Is.* 48, 7)· διαφορὰ δὲ σοφίας καὶ γνώσεως αὕτη· ὅτι τὸ μὲν καταληφθῆναι τὰ ἀληθῆ γνώσεως ἴδιον, τὸ δὲ καὶ κατασκευασθῆναι σοφίας· ἔτι δὲ διδασκόμεθα ὅτι πρῶτον δεῖ τὰ ἤθη κατορθῶσαι.

Ce texte est attribué à Évagre par un témoin de l'*Épitomé* de Procope, le *Marcianus gr.* 22 (f. 76ᵛ), et a été édité comme une scholie authentique par A. Labate[1] et S. Leanza[2]. La découverte d'un nouveau témoin de l'*Épitomé* a montré que là encore la place de l'attribution n'était pas stable : le *Vindobonensis theol. gr. 147* place en effet le sigle Εὐα(γρίου) en face du texte précédent : Τῷ μὲν ἀγαθῷ — ἐν τῷ μέλλοντι αἰῶνι qui est une récriture d'Olympiodore (*PG* 93, 505 D). Le manuscrit *Iviron 676*, où la scholie 14 d'Évagre suit ces deux textes, apporte la solution du problème. Dans les manuscrits KM, qui se présentent comme un choix de l'*Épitomé*, la scholie d'Évagre n'a pas été retenue, mais le sigle d'attribution, déjà déplacé vers le haut, s'est maintenu.

— *Ad Eccl.* 4, 1 : Ἀνθρώπους τὸν μὲν ἀδικοῦντα, τὸν δὲ ἀδικούμενον, πλὴν ἄμφω σαρκικούς· οὐδεὶς γὰρ πνευματικὸς ἀδικούμενος θλίβεται καὶ κλαίει· ὡς πρὸς τούτους οὖν ἀμείνους οἱ τεθνηκότες ἁμαρτίας παυσάμενοι καὶ μὴ γενόμενοι.

La chaîne Barberini présente au folio 36 ce texte sous l'attribution : ἄλλω(ς). Εὐαγρίου[3]. Rien ne permet de penser qu'il soit authentique, bien que l'erreur d'attribution ne puisse être dans le cas présent expliquée.

---

1. *Ibidem*.
2. *CCSG* 4, p. 25, l. 211-216.
3. Labate, «L'esegesi», p. 487. Ce fragment, sans doute issu de l'*Épitomé* de Procope, se retrouve avec quelques variantes au f. 140ᵛ de l'*Iviron 676*.

—*Ad Eccl.* 4, 4 : Μάταιοι μετὰ τῶν ζηλούντων οἱ ἐπὶ δυναστείᾳ ζηλούμενοι ἢ χρήμασιν ἢ ψευδοδοξίᾳ.

Ce fragment[1], issu de l'*Épitomé* de Procope, est attribué avec une belle unanimité à Évagre par KMT[2]. Il est pourtant inauthentique : nous avons à nouveau un cas d'anticipation d'une attribution qui s'applique en fait au texte suivant, la scholie 26 d'Évagre.

— *Ad Eccl.* 4, 4 : Ἀνδρεία ψεκτή — προαίρεσις πνεύματος.

Ce texte est attribué à Évagre dans un exemplaire tardif du Commentaire d'Olympiodore[2], le *Vallicellanus gr. 51 (D 6)*, aux folios 18v-19. Mais c'est bien à Olympiodore qu'il revient : on le lit en *PG* 93, 528 A 1-12. Nous pensons qu'il s'agit d'un souvenir de l'attribution marginale qui signalait dans le *Parisinus gr. 153* l'insertion du début de la scholie 30 d'Évagre dans le commentaire d'Olympiodore. Au cours des copies successives, l'attribution se sera déplacée très sensiblement vers le haut.

L'enquête a donc montré que les chaînes ne permettaient pas de compléter la collection donnée par le *Coislin 193*, et que l'attribution de tel ou tel fragment à Évagre relevait d'erreurs banales dans les manuscrits de chaînes. Pour le moment la *Collectio Coisliniana* nous livre la série la plus complète des scholies évagriennes.

---

1. Éd. LABATE, « L'esegesi », p. 487.
2. FAULHABER, p. 159 ; éd. LABATE, « L'esegesi », p. 486.

CHAPITRE III

LES PRINCIPES DE L'ÉDITION

Nous avons repris ici un certain nombre de principes déjà adoptés dans l'édition des *Scholies aux Proverbes*.

I. LE TEXTE BIBLIQUE

Nous avons fait figurer en tête de chaque scholie la totalité du passage biblique sur laquelle elle porte. Les lemmes présents dans le *Coislin 193* n'ont pas été retenus, car ils sont souvent trop réduits, voire tronqués, et ne correspondent pas nécessairement au texte commenté par Évagre. Par exemple, en tête de la scholie 21 (*ad Eccl.* 3, 19-22), le manuscrit parisien ne donne qu'une partie du verset 19[1], et encore sous une forme médiocre : καὶ αὐτοὶ ὡς συνάντημα, alors que la scholie porte à l'évidence sur un passage plus étendu, les versets 19-22 ; en *Eccl.* 2, 10, en tête de la scholie 8, il donne : καὶ πᾶν ὃ ἐπεθύμησαν, alors qu'Évagre commente un texte où il y a ἤτησαν. Pour toutes ces raisons nous avons de nouveau eu recours au codex *Alexandrinus* qui semble donner le texte le plus proche de celui qu'Évagre pouvait lire. Afin de bien marquer qu'il s'agissait d'un texte restitué, nous l'avons constamment placé entre crochets obliques. Il nous est arrivé cependant à dix-huit reprises de nous écarter de l'*Alexandrinus*, soit parce qu'Évagre commentait à l'évidence un autre texte, soit pour des raisons de sens, et d'adopter une leçon qui figure dans l'un des deux autres grands manuscrits onciaux (le *Vaticanus* et le *Sinaiticus*) ou dans les deux à la fois. Dans deux cas seulement, la leçon retenue a une autre provenance. La liste des modifications, signalées dans l'édition par un astérisque, est la suivante :

	Leçons retenues	Leçons de l'*Alexandrinus*
1, 15[1]	ἐπικοσμηθῆναι	κοσμηθῆναι
3, 10[1]	περισπασμὸν	πειρασμὸν
3, 11[2]	αὐτῶν	αὐτοῦ
3, 15[1]	γενόμενον	γεννώμενον
4, 4[1]	σὺν πάντα	σύμπαντα
4, 4[3]	ἑταίρου	ἑτέρου
4, 8[3]	περασμὸς	πειρασμὸς
4, 8[8]	περισπασμὸς	πιρασμὸς *(sic)*
4, 14[1]	δεσμίων	δεσμῶν
5, 5[1]	στόμα	αἷμα
5, 7[4]	αὐτούς	αὐτῆς
5, 13[1]	πονηρῷ	αὐτοῦ
5, 17[1]	ὅ[2]	*om.*
5, 19[1]	πολλὰ	πολλὰς
6, 10[1]	κέκληται	κέκληκεν
6, 12[6]	ἔσται	ἔστε
7, 7[2]	τὴν εὐτονίαν τῆς καρδίας αὐτοῦ (codex *Venetus* ; cf. note *ad locum*)	τὴν καρδίαν τῆς εὐτονίας αὐτοῦ
7, 8[1]	αὐτῶν *(Catena Hauniensis et Catena trium Patrum)*	αὐτοῦ

On note un certain flottement dans les manuscrits à propos des mots ou des expressions qui suivent :

— υἱοὶ τοῦ ἀνθρώπου - τῶν ἀνθρώπων : voir *Eccl.* 1, 13[5] (sur les hésitations des grands manuscrits onciaux, voir l'apparat de l'édition de Rahlfs *ad loc.*, t. II, p. 239). Dans la scholie 15 *ad Ps.* 33, 22, Évagre cite *Eccl.* 1, 13 avec le pluriel ἀνθρώπων.

— Confusions entre des mots voisins : περισπασμός, πειρασμός, περασμός (*Eccl.* 3, 10[1] ; 4, 8[3] ; 4, 8[8]). Celles-ci se retrouvent dans les témoins manuscrits de la scholie 40.

— Transformation de σὺν + πᾶς en σύμπας : voir *Eccl.* 3, 11 ; 4, 4.

— Fautes dues à l'iotacisme : le *Coislin 193* cite *Eccl.* 4, 3 avec la leçon οὐκ οἶδεν au lieu de οὐκ εἶδεν. Le commentaire d'Évagre donné dans la scholie 24 montre qu'il lisait la première de ces leçons.

Pour la traduction des lemmes bibliques, dont certains sont relativement obscurs, nous avons consulté les traductions suivantes :

— traductions de l'hébreu faites par A. Guillaumont, dans la *Bibliothèque de la Pléiade*[1], et par D. Lys[2].

— traductions françaises de la Septante dues à P. Giguet[3] et à Fr. Vinel[4].

— traduction anglaise de la Septante due à L. L. Brenton[5].

II. LE TEXTE ORIGINAL DES SCHOLIES

L'étude de la tradition manuscrite des scholies d'Évagre bouleverse le stemma établi par Faulhaber et développé de façon inacceptable par l'équipe de Messine (S. Leanza et A. Labate), stemma qui fait descendre

---

1. *La Bible, Ancien Testament*, t. II, éd. publiée sous la direction d'Édouard Dhorme, Paris 1959, p. 1503-1532.

2. Jusqu'à *Eccl.* 4, 3 seulement. Voir Bibliographie.

3. P. Giguet, *La Sainte Bible. Traduction de l'Ancien Testament d'après les Septante*, vol. 3, Paris 1872 : Ecclésiaste, p. 384-408.

4. F. Vinel, «La *Metaphrasis in Ecclesiasten* de Grégoire le Thaumaturge : entre traduction et interprétation, une explication de texte», dans *Lectures anciennes de la Bible (Cahiers de Biblia Patristica* 1), Strasbourg 1987, p. 191-215 (trad. des chapitres 1-3, p. 198-203).

5. *The Septuagint Version of the Old Testament with an English translation*, Londres (1844) : Ecclésiaste, p. 819-829.

toutes les chaînes à l'Ecclésiaste soit directement soit indirectement de la chaîne de Procope[1]. En prenant comme pierre de touche un seul des auteurs représentés, Évagre, nous avons mis au contraire en évidence deux grands groupes de chaînes : un premier groupe qui puise dans l'œuvre originale de l'auteur et reproduit les scholies avec une assez grande fidélité, un second groupe qui est tributaire des remaniements apportés par Procope de Gaza et qui donne des textes fortement résumés. Ces deux groupes se rejoignent dans la chaîne Barberini.

Dans cette édition *princeps*, la situation est pour l'établissement du texte nettement plus favorable qu'elle ne l'était dans les *Scholies aux Proverbes*. Pour plusieurs scholies nous disposons en effet de cinq témoins indépendants. L'accord des manuscrits EHT permet d'isoler les leçons propres à A qui sont dans un grand nombre de cas de simples bévues ; l'accord de A et de H met au contraire en évidence les particularités du groupe ET qui a pris parfois quelques libertés avec le texte d'Évagre. B a un grand nombre de leçons propres qui sont la plupart du temps le produit de la simple négligence du copiste. Dans l'apparat critique nous avons omis de mentionner un grand nombre d'*orthographica*.

III. LE TEXTE DE PROCOPE

L'édition du texte remanié de Procope présente ici un intérêt moindre, dans la mesure où le texte original repose sur une base critique solide. Sur certains points de détail, il pourra cependant appuyer le choix de telle ou telle leçon. Son principal intérêt est d'avoir conservé le nom d'Évagre qui a presque entièrement disparu du

---

1. Voir LEANZA, «Catene», p. 545-552.

premier groupe de chaînes. Contrairement à ce que nous avions fait pour l'édition des *Scholies aux Proverbes*, les leçons de Procope ne passent jamais dans l'apparat critique du texte original.

Si l'on excepte les quelques échantillons du texte original que nous avons donnés dans notre article « Un nouvel inédit », tous les textes publiés jusqu'à maintenant proviennent de la rédaction de Procope :

— schol. 10 : sous le nom de Denys d'Alexandrie (d'après M), par C. L. Feltoe [1].

— schol. 10 : sous le nom d'Eustathe d'Antioche (d'après un ms. de la chaîne dite de Polychronius, le *Parisinus gr. 151*), par F. Cavarella et M. Spanneut [2].

— schol. 36 : sous le nom d'Origène (d'après T²), par S. Leanza [3].

— schol. 6, 11, 14, 20, 21, 27, 28, 35, 49, 55, 56, 61, 62, 63 : (d'après T²) par A. Labate [4].

— schol. 2, 3, 10, 26 : (d'après M) par S. Leanza [5].

---

1. *The letters and other remains of Dionysius of Alexandria*, Cambridge 1904, p. 217, l. 17 - p. 218, l. 2.
2. Voir *supra*, p. 34, n. 1.
3. *L'esegesi di Origene al Libro dell'Ecclesiaste*, Reggio de Calabre 1975, p. 16.
4. « L'esegesi », p. 485-490.
5. *CCSG* 4 (voir *supra*, p. 36, n. 4). — Nous ne signalons pas les fragments publiés par Labate dans les apparats à l'édition de la *Catena Hauniensis*.

BIBLIOGRAPHIE

I. — Œuvres d'Évagre

Antirrhétique

Version syriaque, éd. W. Frankenberg, p. 472-545 (v. à III, Frankenberg).

Disciples d'Évagre

Chapitres des disciples d'Évagre. Nous en préparons l'édition[1].

Euloge

Traité au moine Euloge = Tractatus ad Eulogium monachum, PG 79, 1093 D - 1140 A.

Exhortation

Deux exhortations aux moines = Institutio ad monachos, éd. partielle dans *PG* 79, 1236-1240 ; à compléter par J. Muyldermans, « *Evagriana. Le Vatic. Barb. graecus 515* », *Le Muséon* 51 (1938), p. 200-203.

Gnostique

Le Gnostique, éd. A. et C. Guillaumont, *SC* 356, Paris 1989.

---

1. Cette œuvre n'est pas à proprement parler une œuvre d'Évagre, mais celle d'un ou plusieurs disciples qui ont fidèlement recueilli l'enseignement du maître. Il existe d'ailleurs une incertitude sur le titre de la collection, entre *Chapitres des disciples* (μαθητῶν) et *Chapitres des enseignements* (μαθημάτων) *d'Évagre*. — J. PARAMELLE et A. GUILLAUMONT ont publié chacun un article sur ces *Chapitres* dans les *Mélanges F. Graffin, Parole de l'Orient* 6/7 (1975-1976), Kaslik 1978 : le premier, p. 101-113, intitulé « ' Chapitres des disciples d'Évagre ' dans un manuscrit grec du Musée Bénaki d'Athènes » ; le second, p. 115-123, intitulé « Fragments syriaques des ' Disciples d'Évagre ' ».

KG

Les *Képhalaia gnostica*, version syriaque, éd. A. Guillaumont, *Les Six Centuries des «Képhalaia gnostica»
d'Évagre le Pontique* (*PO* 28, 1), Paris 1958 ; fragments
grecs édités par J. Muyldermans, *Evagriana* (v. à III),
et par I. Hausherr, «Nouveaux fragments grecs
d'Évagre le Pontique», *Orientalia Christiana Periodica*
5 (1939), p. 230-232.

KG Suppl.

*Pseudo-supplément des Six Centuries des «Képhalaia
gnostica»*, version syriaque, éd. W. Frankenberg,
p. 422-471 (v. à III). Le texte est accompagné du
commentaire de Babaï le Grand.

Lettres

Corpus de lettres conservées en syriaque, éd. W. Frankenberg, p. 564-610 (v. à III); fragments grecs des
lettres 4, 25, 27, 31, 52, 56, 58 édités par C. Guillaumont, p. 217-221 (v. à III).

Lettre à Mélanie

Version syriaque, éd. incomplète de W. Frankenberg,
p. 612-618 (v. à III); à compléter par G. Vitestam,
*Seconde partie du traité qui passe sous le nom de la
«Grande lettre d'Évagre le Pontique à Mélanie
l'Ancienne»*, Lund 1964.

Lettre sur la Trinité

Cette lettre, qui porte en syriaque le titre de «Lettre
sur la foi» (éd. W. Frankenberg, p. 620-635 ; voir à
III), a été conservée en grec ; on la trouve éditée dans
le corpus des lettres de Basile de Césarée : *Lettre* 8, éd.
Y. Courtonne, *Saint Basile. Lettres*, I, Paris 1957 ; éd.
J. Gribomont,. dans M. Forlin Patrucco, *Basilio di
Cesarea. Le Lettere*, I, Turin 1983, p. 84-113 (les références sont désormais données selon cette dernière édition).

Moines

Sentences métriques *Aux moines*, éd. H. Gressmann,
*Nonnenspiegel und Mönchsspiegel des Evagrios Ponti-
kos, TU* 39, 4 (1913), p. 152-165.

Pensées

Des diverses mauvaises pensées = De diversis malignis cogitationibus[1], *PG* 79, 1200 D - 1233 A ; à compléter par *PG* 40, 1240 A - 1244 B, et par J. Muyldermans, *A travers la tradition manuscrite d'Évagre le Pontique* (*Bibl. du Muséon* 3), Louvain 1932, p. 47-55.

Pratique

Traité pratique ou Le moine, éd. A. et C. Guillaumont, *SC* 170-171, Paris 1971.

Prière

Traité de la prière = De oratione, *PG* 79, 1165 A - 1200 C.

Schol. ad Eccl.

Scholies à l'Ecclésiaste (éditées ici).

Schol. ad Prov.

Scholies aux Proverbes, éd. P. Géhin, *SC* 340 (v. à III).

Schol. ad Ps.

Scholies aux Psaumes, éd. préparée par M.-J. Rondeau[2], qui a mis à notre disposition sa collation du *Vaticanus graecus 754*.

Skemmata

Réflexions, éd. J. Muyldermans, *Evagriana*, p. 38-44 (v. à III).

---

1. Nous avons adopté une numérotation continue des chapitres (de 1 à 43) qui suit pour la première partie (ch. 1-21) la division du *Parisinus gr. 1056* et pour la seconde partie (ch. 22-43) la division de l'éd. Muyldermans. A. et C. Guillaumont, en collaboration avec P. Géhin, préparent l'édition de ce traité.

2. En attendant l'édition critique de M.-J. RONDEAU, on peut toujours se reporter au catalogue placé à la fin de son article, « Le Commentaire sur les Psaumes d'Évagre le Pontique », *Orientalia Christiana Periodica* 26 (1960), p. 307-348. Il regroupe tous les *membra disjecta* fournis par les éditions de De La Rue et de Pitra (p. 328-348). Au ch. III de ses *Commentaires du Psautier* (p. 203 s.), M.-J. Rondeau apporte des compléments d'information.

II. — Autres Commentaires de l'Ecclésiaste

Catena Hauniensis
> *Catena Hauniensis in Ecclesiasten in qua saepe exegesis servatur Dionysii Alexandrini*, éd. A. Labate, *CCSG* 24, Turnhout-Louvain 1992.

Catena trium Patrum
> *Anonymus in Ecclesiasten Commentarius qui dicitur Catena trium Patrum*, éd. S. Lucà, *CCSG* 11, Turnhout-Louvain 1983.

DIDYME
> Commentaire sur l'Ecclésiaste découvert dans les papyrus de Toura : *Didymos der Blinde. Kommentar zum Ecclesiastes (Tura Papyrus)*; Teil I. 1 : *Kommentar zu Eccl.* Kap. 1, 1 - 2, *Papyrol. Texte und Abhandl.* 25, Bonn 1979, éd. G. Binder-L. Liesenborghs; Teil II : Kap. 3 - 4, 12, *PTA* 22, Bonn 1977, éd. M. Gronewald; Teil III : Kap. 5-6, *PTA* 13, Bonn 1970, éd. J. Kramer-L. Koenen; Teil IV : Kap. 7 - 8, 8, *PTA* 16, Bonn 1972, éd. J. Kramer-B. Krebber; Teil V : Kap. 9, 8 - 10, 20, *PTA* 24, Bonn 1979, éd. J. Gronewald; Teil VI : Kap. 11-12, *PTA* 9, Bonn 1969, éd. G. Binder-L. Liesenborghs. — Pour des raisons de commodité, tous nos renvois sont faits au volume 50 de la *Bibliothêkê Hellênôn Paterôn kai ekklesiastikôn syngrapheôn* (réalisé par E. D. Moutsoulas et K. G. Papachristopoulos), Athènes 1983, p. 177-403, volume qui reprend l'édition de Bonn.

GRÉGOIRE DE NYSSE
> *In Ecclesiasten Homiliae*, éd. P. Alexander, *Gregorii Nysseni Opera*, t. V, Leyde 1962, p. 195-442, en attendant l'édition F. Vinel, à paraître prochainement dans *SC*.

JÉRÔME
> *Commentarius in Ecclesiasten*, éd. M. Adriaen, *CCSL* 72, Turnhout 1959, p. 248-361.

Olympiodore
    Commentarii in Ecclesiasten, PG 93, 477-628.

Procope de Gaza
    Catena in Ecclesiasten, éd. S. Leanza, *CCSG* 4, Turn-
    hout-Louvain 1978, p. 1-50 ; *CCSG* 4 *Suppl.*, 1983 (*Un
    nuovo testimone della Catena sull'Ecclesiaste di Procopio
    di Gaza, il Cod. Vindob. Theol. Gr. 147*).

III. — Livres et articles

Balthasar, *«Hiera»*
    H. Urs von Balthasar, «Die *Hiera* des Evagrius Pon-
    tikus», *Zeitschrift für katholische Theologie* 63 (1939),
    p. 86-106 et p. 181-206 (p. 203-204 : der Prediger-Kom-
    mentar).

CPG
    Clavis Patrum Graecorum (M. Geerard), *CC*, Turnhout.
    Vol. III (1979) : *A Cyrillo Alex. ad Iohannem Damasc.* ;
    vol. IV (1980) : *Concilia, catenae*.

Faulhaber
    M. Faulhaber, *Hohelied-Proverbien-und-Prediger-
    Catenen* (*Theologische Studien der Leo-Gesellschaft* 4),
    Vienne 1902, p. 139-166.

Field
    F. Field, *Origenis Hexapla*, Oxford 1875 (réimpr. Hil-
    desheim 1964).

Frankenberg
    W. Frankenberg, *Evagrius Ponticus (Abhandlungen
    der Königlichen Gesellschaft der Wissenschaften zu Göt-
    tingen*, Philol.-hist. Klasse, Neue Folge, Bd. XIII, 2),
    Berlin 1912. Le texte syriaque est accompagné d'une
    rétroversion grecque.

Géhin, *Scholies aux Proverbes*
    P. Géhin, Introd., texte critique, trad., notes, append.
    et index d'*Évagre le Pontique. Scholies aux Proverbes*
    (*SC* 340), Paris 1987.

GÉHIN, « Un nouvel inédit »

    P. GÉHIN, « Un nouvel inédit d'Évagre le Pontique : son commentaire de l'Ecclésiaste », *Byzantion* 49 (1979), p. 188-198.

GÉHIN, « Un recueil d'extraits patristiques »

    P. GÉHIN, « Un recueil d'extraits patristiques : les *Miscellanea Coisliniana (Parisinus Coislinianus* 193 et *Sinaiticus gr.* 461)», *Revue d'Histoire des Textes* 22 (1992), p. 89-130.

C. GUILLAUMONT, « Fragments grecs »

    C. GUILLAUMONT, « Fragments grecs inédits d'Évagre le Pontique», *Texte und Textkritik* (éd. J. Dummer), *TU* 133 (1987), p. 209-221.

HARL-DORIVAL-MUNNICH, *La Bible grecque des Septante*

    M. HARL, G. DORIVAL, O. MUNNICH, *La Bible grecque des Septante. Du judaïsme hellénistique au christianisme ancien*, Paris 1988.

HAUSHERR, *Leçons*

    I. HAUSHERR, *Les leçons d'un contemplatif. Le Traité de l'Oraison d'Évagre le Pontique*, Paris 1960.

KARO-LIETZMANN

    G. KARO - H. LIETZMANN, *Catenarum graecarum catalogus (Nachrichten der K. Gesellschaft der Wissenschaften zu Göttingen*, Philol.-hist. Klasse), Göttingen 1902. Les *Catenae in Ecclesiasten* se trouvent aux p. 310-312.

LABATE, « L'esegesi »

    A. LABATE, « L'esegesi di Evagrio al Libro dell'Ecclesiaste», *Studi in onore di A. Ardizzoni*, Messine 1979, p. 485-490.

LABATE, « Nuove catene »

    A. LABATE, « Nuove catene esegetiche sull'Ecclesiaste», *ANTIΔΩPON. Hommage à Maurits Geerard*, Wetteren 1984, p. 241-263.

LEANZA, « Catene »

    S. LEANZA, « Le Catene esegetiche sull'Ecclesiaste», *Augustinianum* 17 (1977), p. 545-552.

LYS

D. LYS, *L'Ecclésiaste ou Que vaut la vie?* Traduction, Introduction générale et Commentaire de 1/1 à 4/3, Paris 1977.

MUYLDERMANS, *Evagriana*

J. MUYLDERMANS, *Evagriana.* Extrait de la revue *Le Muséon*, t. 44, augmenté de *Nouveaux fragments grecs inédits*, Paris 1931.

MUYLDERMANS, *Evagriana Syriaca*

J. MUYLDERMANS, *Evagriana Syriaca.* Textes inédits du British Museum et de la Vaticane édités et traduits (*Bibliothèque du Muséon* 31), Louvain 1952.

RAHLFS

Septuaginta, éd. A. Rahlfs, 2 vol., Stuttgart 1935 (1965[8]).

RAHLFS, *Verzeichnis*

A. RAHLFS, *Verzeichnis der griechischen Handschriften des Alten Testaments für das Septuaginta-Unternehmen (Nachrichten der K. Gesellschaft der Wissenschaften zu Göttingen*, Philol.-hist. Klasse), Berlin 1914.

RONDEAU, *Commentaires du Psautier*

M.-J. RONDEAU, *Les Commentaires patristiques du Psautier (IIIe-Ve siècles).* Vol. I : *Les travaux des Pères grecs et latins sur le Psautier. Recherches et bilan (Orientalia Christiana Analecta* 219), Rome 1982.

TABLE DES SIGLES

Texte original

A   *Parisinus Coislinianus 193,* xie siècle.
B   *Iviron 555,* xive siècle.
      B : Première série de scholies.
      B′ : Deuxième série de scholies.
E   *Vaticanus gr. 1694,* année 1203.
      E² : Doublet de E.
H   *Ambrosianus A 148 inf.,* xe siècle.
      H² : Doublet de H.
T   *Vaticanus Barberinianus gr. 388,* xiiie siècle.

Texte de l'Épitomé de Procope

K   *Vindobonensis theol. gr. 147,* xie et xiie siècles.
M   *Marcianus gr. 22,* xiiie siècle.
N   *Iviron 676,* xive siècle.
T² Doublets du *Barberinianus gr. 388,* xiiie siècle.

N. B. — Dans l'apparat du texte original, le signe ⌐ indique le début des variantes critiques du texte proprement dit de la scholie.

TEXTE ET TRADUCTION

ΣΧΟΛΙΑ ΕΙΣ ΤΟΝ ΕΚΚΛΗΣΙΑΣΤΗΝ

1, 1 < Ῥήματα Ἐκκλησιαστοῦ υἱοῦ Δαυίδ,
βασιλέως Ἰσραὴλ ἐν Ἰερουσαλήμ >

1. Ἐκκλησία ἐστὶν ψυχῶν καθαρῶν γνῶσις ἀληθὴς
αἰώνων καὶ κόσμων καὶ τῆς ἐν αὐτοῖς κρίσεως καὶ προνοίας.
Ἐκκλησιαστὴς δέ ἐστιν ὁ ταύτης τῆς γνώσεως γεννήτωρ
Χριστός· ἢ Ἐκκλησιαστής ἐστιν ὁ διὰ τῶν ἠθικῶν
5 θεωρημάτων καθαίρων ψυχὰς καὶ προσάγων αὐτὰς τῇ φυσι-
κῇ θεωρίᾳ.

> **ΑΒ** ⌐ 1 ἐκκλησία : ἐκκλησιαστής Α ‖ 2 αὐτοῖς : αὐτῆς Β ‖ 4
> ἠθικῶν] + ἀρετῶν Β ‖ 5-6 φυσικῇ : μυστικῇ Α.

Cette première scholie est un écho évident de la scholie 2 *ad Prov.*
1, 1. Dans la perspective adoptée par Évagre, l'Église (à laquelle renvoie le nom d'«Ecclésiaste») n'est pas l'Église terrestre, mais une
Église toute spirituelle (voir la scholie suivante) qui se constitue dans
l'intellect, et qui n'est autre que la contemplation naturelle, avec ses

---

1, 2 < ματαιότης ματαιοτήτων, εἶπεν ὁ Ἐκκλησιαστής,
ματαιότης ματαιοτήτων, τὰ πάντα ματαιότης >

2. Πρὸς τοὺς εἰσελθόντας εἰς τὴν νοητὴν ἐκκλησίαν καὶ
θαυμάζοντας τὴν θεωρίαν τῶν γεγονότων, ὁ λόγος φησί· μὴ

> **ΑΒ Ε**   ἄλλος Α   Ε : 1-4 πρὸς — ἐναποκείμενον desunt   ⌐

SCHOLIES A L'ECCLÉSIASTE

1, 1 *Paroles de l'Ecclésiaste, fils de David,
roi d'Israël à Jérusalem*

1. L'Église des âmes pures est la science véritable
des siècles et des mondes, du jugement et de la providence qui (se manifestent) en eux. L'Ecclésiaste est le
Christ qui engendre cette science ; ou bien l'Ecclésiaste
est celui qui purifie les âmes par les contemplations
morales et les mène à la contemplation naturelle.

quatre objets principaux de contemplation : les siècles, les mondes, le
jugement et la providence. Le Christ, en tant que dispensateur de
cette science, est qualifié de γεννήτωρ, titre qui est à mettre en relation avec celui de père qui lui est fréquemment appliqué (voir scholie
78 *ad Prov.* 6, 19, texte et note). La seconde interprétation du mot
« Ecclésiaste » est plus large : celui qui conduit les âmes de la pratique
(l'éthique) à la contemplation naturelle (la physique) peut également
être un maître spirituel ou un ange. On notera aussi que cette entrée
en matière « éclatante » rappelle le début du *Traité pratique*.

1, 2 *Vanité des vanités, dit l'Ecclésiaste,
vanité des vanités, tout est vanité*

2. A ceux qui sont entrés dans l'Église intelligible et
qui admirent la contemplation des êtres créés, le texte
dit : Ne pensez pas, vous autres, que ce soit le terme

νομίσητε τοῦτο εἶναι τὸ ἔσχατον τέλος, ὦ οὗτοι, τὸ ταῖς
ἐπαγγελίαις ὑμῖν ἐναποκείμενον· ταῦτα γὰρ πάντα
5 ματαιότης ἐστὶ ματαιοτήτων ἐνώπιον τῆς γνώσεως αὐτοῦ
τοῦ θεοῦ. ῞Ωσπερ γὰρ μάταια μετὰ τὴν τελείαν ὑγείαν τὰ
φάρμακα, οὕτω μετὰ τὴν γνῶσιν τῆς ἁγίας τριάδος μάταιοι
τῶν αἰώνων καὶ κόσμων οἱ λόγοι.

3 τὸ om. A ‖ 4 ὑμῖν : ἡμῖν B ‖ 5 ἐστὶ post γνώσεως B ‖ 5-6 τῆς
— τοῦ θεοῦ : τῆς τοῦ θεοῦ γνώσεως E ‖ 6 τελείαν om. E ‖ 8
αἰώνων καὶ κόσμων : ἀνθρώπων E.

PROCOPE : Ἀλλὰ καὶ πρὸς τοὺς ἐλθόντας εἰς τὴν νοητὴν ἐκκλησίαν καὶ
θαυμάζοντας τὴν θεωρίαν τῶν γεγονότων, ὁ λόγος φησί· μὴ νομίσητε τὸ
ἔσχατον τέλος τοῦτο εἶναι τὸ ἐν ἐπαγγελίαις ὑμῖν ἀποκείμενον· ταῦτα γὰρ
πάντα μάταια ἐνώπιον τῆς γνώσεως τοῦ θεοῦ· μετὰ γὰρ τὴν γνῶσιν τῆς
5 τριάδος μάταιοι τῶν αἰώνων καὶ κόσμων οἱ λόγοι.

KM — Δι(δύμου) K   Διδύ(μου) M. — 1 τὴν νοητὴν ἐκκλησίαν : τὸ νοῆσαι τὴν ἐκκλησίαν M ‖ 2 θαυμάζοντας : -οντες M ‖ 3
ἐπαγγελίαις scripsi : ἐπαγγελ KM   ἐπαγγελία Leanza ‖ ὑμῖν :
ἡμῖν M ‖ 5 τῶν αἰώνων καὶ κόσμων KM : τῷ αἰῶνι καὶ κόσμῳ
perperam legit Leanza.

Les expressions «contemplation des êtres créés» et «raisons des
siècles et des mondes» sont les nouvelles dénominations de la contemplation naturelle mentionnée dans la scholie précédente. Le verbe
θαυμάζειν introduit le thème de l'admiration et de l'étonnement qui

---

1, 11¹   < οὐκ ἔστιν μνήμη τοῖς πρώτοις >

3. Εἰ οὐκ ἔστι μνήμη τοῖς πρώτοις, πῶς ὁ Δαυὶδ φησιν·
«ἐμνήσθην ἡμερῶν ἀρχαίων ᵃ» καὶ «ἔτη αἰώνια ἐμνήσθην ᵇ» ;

a. Ps. 142, 5   b. Ps. 76, 6

AB E   B : 1-3 εἰ — γενήσεται desunt   ⏋ 1 ἔστι] + δὲ E ‖
τῶν πρώτων E ‖ 2 ἐμνήσθην] + καὶ ἐμελέτησα E.

ultime déposé pour vous dans les promesses, car tout
cela est vanité des vanités face à la science de Dieu
lui-même. De même que les médicaments sont vains
après la complète guérison, de même les raisons des
siècles et des mondes sont vaines après la science de la
sainte Trinité.

s'emparent du contemplatif ; cf. *KG* V, 29 : « De même que ceux qui
viennent dans les villes pour voir leurs beautés s'émerveillent en
regardant chacun des ouvrages, de même aussi le *nous*, quand il s'ap-
prochera des intellections des êtres, sera rempli de désir spirituel et ne
se départira pas de l'admiration » (trad. A. Guillaumont) ; voir également *KG* V, 73, ou encore les scholies 5 *ad Ps*. 39, 4 ; 79 *ad Ps*. 118,
171 et 6 *ad Ps*. 148, 14 qui définissent le mot ὕμνος comme un étonnement devant le monde créé, accompagné de doxologie (ἔκπληξις μετὰ
δοξολογίας). Pour l'origine de ce thème, voir par ex. PLATON, *Phèdre*
250 a 6, et PLOTIN, *Enn*. VI, 7, 31, 7 ; on notera cependant qu'Évagre,
à la différence de ces auteurs, semble situer ce choc émotionnel au
niveau de la contemplation physique. Le thème est repris par OLYM-
PIODORE dans le commentaire d'*Eccl*. 3, 11 (*PG* 93, 517 C). Malgré
l'émerveillement qu'elle procure, cette contemplation naturelle n'est
encore rien en regard de la contemplation de Dieu lui-même (appelée
plus loin « science de la sainte Trinité »), contemplation qui constitue le
terme extrême de la vie spirituelle. Sur l'expression τὸ ἔσχατον τέλος,
voir la note à la scholie 55. Nous avons considéré que le mot λόγος, à
la ligne 2, renvoyait simplement au texte biblique et ne désignait pas
le Verbe (si c'était le cas, il faudrait naturellement mettre une majus-
cule au mot).

1, 11[1]   *Il n'y a pas de souvenir des premiers*

3. S'« il n'y a pas de souvenir des premiers »,
comment David peut-il dire : « Je me suis souvenu des
jours originels [a] », et : « Je me suis souvenu des années
séculaires [b] » ? Peut-être que l'oubli de toutes ces choses

ἢ τὸ τηνικαῦτα λήθη τούτων πάντων γενήσεται, ὁπηνίκα ἂν
ἡ λογικὴ φύσις ὑποδέξηται τὴν ἀγίαν τριάδα· τότε γὰρ ὁ
5 θεὸς ἔσται τὰ πάντα ἐν πᾶσιν ᶜ. Εἰ γὰρ τὰ νοήματα τῶν
πραγμάτων ἐν τῇ διανοίᾳ γινόμενα εἰς ἀνάμνησιν ἄγει τῶν
πραγμάτων τὸν νοῦν, πάντων δὲ τῶν νοημάτων χωρίζεται
νοῦς θεὸν θεασάμενος, πάντων ἄρα τῶν γεγονότων
ἐπιλανθάνεται νοῦς ὑποδεξάμενος τὴν ἀγίαν τριάδα.

c. Cf. I Cor. 15, 28

4 ἡ om. B ‖ ὑποδέξεται B   -δέξειται E ‖ γὰρ] + καὶ E ‖ 5 ἐστι
A ‖ ἄπασιν A ‖ 7 τὸν νοῦν om. A ‖ 8 νοῦς : ὁ νοῦς B.

La première partie de la scholie a la forme caractéristique d'une
question-réponse, forme à laquelle Évagre a fréquemment recours
dans ses commentaires lorsque plusieurs textes scripturaires semblent
se contredire (voir *Scholies aux Proverbes*, Introd., p. 17-18). Évagre
résout la difficulté en considérant que les trois textes ne se situent pas
au même niveau. Les deux versets psalmiques visent selon lui la
contemplation naturelle (voir le commentaire correspondant dans les

---

1, 13⁴⁻⁶   **< ὅτι περισπασμὸν πονηρὸν**
                ἔδωκεν ὁ θεὸς τοῖς υἱοῖς τῶν ἀνθρώπων*
                τοῦ περισπᾶσθαι ἐν αὐτῷ >

4. Πονηρὸν τὸ ἐπίπονον λέγει, οὐ τὸ τῷ ἀγαθῷ ἀντικεί-
μενον· ἐκεῖνο γὰρ οὐδενὶ δίδωσιν ὁ θεός· οὐ γάρ ἐστιν αἴτιος
κακῶν, πηγὴ ἀγαθωσύνης ὑπάρχων, πλὴν εἰ μὴ λέγεται
διδόναι ὡς συγχωρῶν κατὰ τὸν τῆς ἐγκαταλείψεως λόγον.

ΑΒ′Ε   ἄλλος Α   ⅂ 1 πονηρὸν] + οὖν ἐνταῦθα E ‖ 1-2 τὸ τῷ
ἀγαθῷ ἀντικείμενον scripsi : τὸν τῷ ἀγαθῷ ἀντικείμενον Α   τῷ
τὸ ἀγαθὸν ἀντικείμενον Β′   τὸ ἀντικείμενον τῷ ἀγαθῷ E ‖ 2
ἐκείνῳ E ‖ ὁ om. A ‖ οὐ : οὐδὲ Β′ ‖ 2-3 αἴτιος κακῶν : αἴτιος τῶν
κακῶν E   αἴτιον κακοῦ Β′ ‖ 3-4 εἰ μὴ λέγεται διδόναι correxi : εἰ
μή τις λέγει τὸ διδόναι ΑΒ′ E ‖ 4 ἐγκαταλείψεως Αᵖᶜ : -λήψεως
ΑᵃᶜΒ′ E.

se produira quand la nature raisonnable accueillera la sainte Trinité, car alors Dieu sera tout en tous[c]. Si les représentations des objets qui se forment dans la pensée conduisent l'intellect à se souvenir des objets et si l'intellect qui a contemplé Dieu est séparé de toutes les représentations, l'intellect qui a accueilli la sainte Trinité oublie donc toutes les choses créées.

Scholies aux Psaumes), tandis que le verset de l'Ecclésiaste concerne la contemplation de Dieu. A la fin des temps, quand ils seront entièrement absorbés par la contemplation de la Trinité, les intellects «oublieront» la science inférieure qui portait sur les natures et ils seront débarrassés de tous les concepts liés au monde sensible. Cette nécessité de se débarrasser des concepts est aussi une des conditions pour accéder dès ici-bas à la prière pure qui représente la forme de contemplation la plus haute : voir en particulier les chapitres 55-57 du *Traité de la prière*, ainsi que le chapitre 70 qui définit la prière pure comme un état de «suppression des représentations» (ἀπόθεσις νοημάτων); pour d'autres références, se reporter à HAUSHERR, *Leçons*, p. 80-82 et 102-103.

1, 13[4-6]   *Car c'est une occupation mauvaise que Dieu a donnée aux fils des hommes pour qu'ils s'y occupent*

4. Il appelle «mauvais» ce qui est pénible, non ce qui est opposé au bien, car cela, Dieu ne le donne à personne : il n'est pas cause de maux, lui qui est source de bonté. A moins qu'il ne soit dit «donner» comme s'il permettait, selon le langage de la déréliction.

Lemme biblique. Sur l'hésitation des mss entre le pluriel (τῶν ἀνθρώπων) et le singulier (τοῦ ἀνθρώπου), voir l'apparat critique de Rahlfs à son édition de la Septante (v. 13[5]).
Évagre apporte deux solutions complémentaires à la difficulté représentée par ce verset : comment Dieu pourrait-il accorder quelque chose de mauvais ? La première solution consiste à écarter le sens habituel du mot πονηρός pour revenir au sens étymologique (cf.

PROCOPE (?) : Περισπασμὸν — τὸν ἄρτον σου·] ἐπίπονον γὰρ τοῦτο.

KM − Νύ(σσης) K   τοῦ Νύσ(σης) M.

P. CHANTRAINE, *Dictionnaire étymologique de la langue grecque*, Paris, 1968-1980, *s.v.* πένομαι); c'est aussi ce qui est fait dans deux autres textes, la scholie 15 *ad Ps*. 33, 22 («La mort des pécheurs est mauvaise») : «Mauvais : pénible, amer. Il appelle vraisemblablement 'mort' le châtiment qui sépare l'âme de la malice»; la scholie 20 *ad Ps*. 77, 49 («Il a envoyé une mission par l'intermédiaire d'anges mauvais») : «La divine Écriture tantôt appelle 'mauvais' ce qui est contraire <au bien>, comme dans le passage : 'L'homme bon tire de son bon trésor ce qui est bon, et le mauvais tire de son mauvais trésor ce qui est mauvais' (*Matth*. 12, 35), tantôt nomme mauvais ce qui est pénible, comme dans le passage : ' Dieu a donné une occupation mauvaise aux fils des hommes ', au lieu de : pénible ...» (*Vaticanus gr. 754*, f. 99ᵛ et 198ᵛ : collation M.-J. Rondeau). L'élément «pénible» réside dans le châtiment (κόλασις) que devront subir les pécheurs. Cf. la remarque de DIDYME à propos de πονηρός : οὐ τὸ ἐναντίον τῷ ἀγαθῷ, ἀλλὰ τὸ κολαστικόν (p. 200, l. 12-14). Pour l'équivalence avec ἐπίπονος voir aussi *Catena Hauniensis* (I, 176-177; IX, 85) et OLYMPIODORE (par ex. *PG* 93, 480 B 11-12 et 489 C 1-2).

La seconde solution porte sur le verbe «donner» qui peut, quand il s'agit de Dieu, être compris au sens de «permettre». La scholie 4 *ad Ps*. 147, 4 est plus explicite : «Dieu est dit donner de deux façons : soit en agissant, soit en permettant. Pour les biens, c'est comme quelqu'un qui agit, pour les maux comme quelqu'un qui permet ...» (texte absent du *Vaticanus gr. 754* et conservé en marge du Commentaire de

---

1, 15   <διεστραμμένον οὐ δυνήσεται τοῦ ἐπικοσμηθῆναι*
        καὶ ὑστέρημα οὐ δυνήσεται τοῦ ἀριθμηθῆναι>

5. Διεστραμμένον τὸν νοῦν τὸν ἀκάθαρτον λέγει· «διεστραμμένη γάρ, φησί, καρδία τεκταίνεται κακά[a].» Κόσ-

a. Prov. 6, 14

AB′ + B EHT   Γρη(γορίου) Νύ(σσης) H   ⌐ 1 τὸν¹ — λέγει : δὲ λέγει τὸν ἀκάθαρτον νοῦν E ‖ 2 καρδία : κακία A.

Théodoret : collation M.-J. Rondeau ; sur cette «tradition quasi directe», cf. RONDEAU, *Commentaires du Psautier*, p. 207-217). PAL-LADE rapporte dans l'*Histoire Lausiaque* (47, 5) une conférence de Paphnuce tenue en présence d'Évagre, d'Albanios et de lui-même, dans laquelle est faite une telle distinction, en liaison avec le thème de la déréliction : «Tout ce qui arrive se partage sur deux choses, la volonté (εὐδοκίαν) de Dieu et sa permission (συγχώρησιν). Par conséquent, tout ce qui se fait selon la vertu en vue de la gloire de Dieu, cela arrive par la volonté de Dieu ; mais aussi, d'un autre côté, tout ce qui est dommageable, périlleux, dû à des circonstances fâcheuses et à des défaillances, cela arrive par permission de Dieu» (trad. A. Lucot, Paris 1912, p. 317). Cette distinction a sans doute son origine dans la polémique anti-gnostique : il s'agissait d'éviter que de tels versets où Dieu semble être responsable de maux ne conduisent à opposer le Dieu de l'Ancien Testament à celui du Nouveau. Dans le fragment sur *Lc* 12, 6 attribué à ORIGÈNE (éd. Rauer, *GCS* 49 [1959], fr. 192), on trouve une distinction tripartite : tout ce qui se produit arrive selon la volonté (βούλημα), la complaisance (εὐδοκία) ou la permission (συγχώρησις) de Dieu. Ces distinctions deviendront de véritables *topoi*, particulièrement dans les milieux monastiques. Nous n'avons pas découvert l'origine de l'expression πηγὴ ἀγαθωσύνης, que l'on trouve aussi appliquée au Créateur, par exemple chez ÉPIPHANE, *Panarion* 66, 18, 10. Dans son commentaire du v. 13, GRÉGOIRE DE NYSSE a une expression comparable : ἡ τῶν ἀγαθῶν πηγή (*Homélie* II, p. 301, l. 18). Chez GRÉGOIRE DE NAZIANZE, *Discours* 41, 9 (*SC* 358, p. 334, l. 15-16), on rencontre l'expression πηγὴ ἀγαθότητος au milieu d'une liste de titres scripturaires censés désigner en propre l'Esprit Saint.

1, 15 *Ce qui est tordu ne pourra recevoir d'autre orne-*
                                                            ment
        et le manque ne pourra être dénombré

5. Il qualifie de «tordu» l'intellect impur ; car il est dit : «Coeur tordu construit le mal[a].» Dans les Pro-

μον δὲ τὴν σοφίαν ἐν ταῖς Παροιμίαις ὠνόμασεν, ἔνθα λέγει ·
«κόσμος νεανίαις σοφία b » · «εἰς κακότεχνον οὖν ψυχὴν οὐκ
5 εἰσελεύσεται σοφία c. » Οὐκ εἶπε δέ · οὐ δυνήσεται τοῦ κοσμηθῆναι, ἀλλ' · οὐ δυνήσεται τοῦ ἐπικοσμηθῆναι · κοσμεῖ μὲν
γάρ τινα βίος ὀρθός, ἐπικοσμεῖ δὲ σοφία θεοῦ. Διεστραμ-
μένος τοιγαροῦν νοῦς κοσμηθῆναι μὲν δύναται · ἐπικοσμηθῆναι δὲ οὐ δύναται, ἐὰν μὴ διὰ τῶν ἀρετῶν ἐκκαθάρῃ
10 ἑαυτὸν καὶ ποιήσῃ σκεῦος χρήσιμον τῷ δεσπότῃ d.

b. Prov. 20, 29   c. Sag. 1, 4   d. Cf. II Tim. 2, 21

3 ἔνθα λέγει : ὥς φησι ΕΤ ‖ 4 κόσμος Τ pc : κόσμον Τ ac ‖ εἰς] +
δὲ ΕΤ ‖ οὖν : οὖν φησίν Β om. ΕΤ ‖ 4-5 οὐκ εἰσελεύσεται σοφία :
σοφία φησίν οὐκ εἰσελεύσεται ΕΤ ‖ 6 ἀλλ' — ἐπικοσμηθῆναι om.
Τ tx [rest. Τ mg sup] ‖ οὐ δυνήσεται τοῦ om. Η ‖ μὲν om. Ε ‖ 9 δὲ
om. Η ‖ ἐὰν : εἰ Τ ‖ 10 ποιήσῃ Α sl : -σει Α tx Β ΕΗ   -σῃς Τ.

L'attention d'Évagre se porte à présent sur le préfixe du verbe
ἐπικοσμεῖν, verbe qui appartient vraisemblablement au vocabulaire
technique des artisans. La formule οὐκ εἶπεν..., ἀλλά..., familière aux
exégètes, se trouve sous cette forme ou sous une forme voisine dans
plusieurs scholies : 31 ad Eccl. 4, 12 ; 356 ad Prov. 29, 1 ; 3 ad Ps. 5, 7 ;

---

6. Ὁ τοῦ θεοῦ ἀριθμὸς ὃν ἀριθμεῖ τοὺς ἁγίους πνευματικήν τινα καὶ ὡρισμένην τάξιν δηλοῖ · «ἀριθμῶν γάρ, φησί,
πλήθη ἄστρων καὶ πᾶσιν αὐτοῖς ὀνόματα καλῶν a. » Τούτῳ
τῷ ἀριθμῷ καὶ Μωσεῖ προστάσσει ὁ κύριος ἀριθμῆσαι τοὺς
5 υἱοὺς Ἰσραήλ b · ὁ δὲ Δαυὶδ περὶ τῶν ἑρπόντων ἀνθρώπων
καὶ ταῖς ἡδοναῖς δουλευόντων, τί φησιν ; «ἐκεῖ ἑρπετὰ ὧν
οὐκ ἔστιν ἀριθμός c » · καὶ ἐν ταῖς Παροιμίαις Σολομὼν περὶ
τῆς κακίας λέγει · «πολλοὺς γὰρ τρώσασα καταβέβληκε καὶ

a. Ps. 146, 4   b. Cf. Nombr. 1, 2   c. Ps. 103, 25

Α ΕΗΤ   ἄλλως Ε   Γρη(γορίου) Νύ(σσης) Η   ἄλλω(ς) Τ   ⌉
1 ὁ] + γὰρ Ε ‖ 3 πλήθει Τ ‖ πᾶσιν — καλῶν : ἑξῆς Η ‖ 4 Μωσῆ
Η ‖ 6 δουλεύων Ε ‖ τί om. ΕΤ ‖ 8 λέγει om. Η.

verbes, il a nommé «ornement» la sagesse, là où il dit :
«La sagesse est un ornement pour les jeunes gens[b]».
«La sagesse n'entrera donc pas dans l'âme ingénieuse au
mal[c].» Il n'a pas dit : ne pourra être orné, mais : «ne
pourra recevoir d'autre ornement», car la vie droite
orne, et la sagesse de Dieu apporte le nouvel ornement.
Ainsi donc l'intellect tordu peut être orné, mais il ne
peut recevoir un nouvel ornement, s'il ne se purifie pas
par les vertus et ne fait pas de lui-même un vase utile
au maître[d].

20 *ad Ps.* 36, 25 ; 13 *ad Ps.* 39, 17, etc. Le thème développé ici est
banal : il n'y a pas de science sans une purification préalable acquise
par la pratique des vertus. Il est exprimé à travers un autre symbolisme dans la scholie 1 *ad Ps.* 29, 1 : «La vie droite construit la maison ; la science de Dieu la consacre (ἐγκαινίζει)» (*Vaticanus gr. 754*,
f. 88 : collation M.-J. Rondeau). Dans ce contexte, le verset de *Sag.* 1,
4 vient fréquemment à l'esprit d'Évagre : *Lettre* 29 (p. 586, l. 7-8) ;
Lettre sur la Trinité 12, l. 18-19 ; schol. 32 *ad Prov.* 3, 18 ; 292 *ad Prov.*
24, 27 ; 16 *ad Ps.* 88, 32 ; 69 *ad Ps.* 118, 155. Le texte de *II Tim.* 2, 21
est également cité avec la leçon χρήσιμον, au lieu de εὔχρηστον, dans la
scholie 179 *ad Prov.* 18, 9.

6. Le nombre selon lequel Dieu dénombre les saints
désigne un certain ordre spirituel défini, car il est dit :
«Dénombrant les multitudes d'astres et leur donnant à
tous un nom[a].» C'est avec ce nombre que le Seigneur
ordonne à Moïse de dénombrer les fils d'Israël[b]. Et
David, que dit-il des hommes qui rampent et qui sont
esclaves des plaisirs? «Il y a là des reptiles sans
nombre[c].» Dans les Proverbes, Salomon dit de la
malice : «Car elle en a blessé et abattu beaucoup, et

ἀναρίθμητοί εἰσιν οὓς πεφόνευκε[d].» Τὸ οὖν ἐνταῦθα
10 λεγόμενον ὑστέρημα καὶ οἱ πεφονευμένοι καὶ τὰ ἑρπετὰ τῆς
αὐτῆς εἰσι καταστάσεως, τῆς μὴ ἁρμοζούσης τῷ πνευματι-
κῷ ἀριθμῷ. Εἰ δὲ λέγει ὁ Δαυὶδ καὶ τῆς συνέσεως τοῦ θεοῦ
μὴ εἶναι ἀριθμόν[e], οὐχ ὡς ἀναξίας αὐτῆς οὔσης τοῦ ἀριθμοῦ
τοῦτο γράφει, ἀλλ' ὡς μὴ πεφυκυίας αὐτῆς διὰ τὸ ἀκατά-
15 ληπτον ὑποβάλλεσθαι ἀριθμῷ. Ὥσπερ γὰρ τὸ ἀόρατον
διχῶς λέγεται, καὶ τὸ μὴ πεφυκὸς ὁρᾶσθαι, ὡς θεός, καὶ τὸ
πεφυκὸς μὲν ὁρᾶσθαι, οὐ μὴν δὲ ὁρώμενον, ὡς ἐν τῷ βυθῷ
σίδηρος διὰ τὸ καλύπτεσθαι ὑπὸ τοῦ ὕδατος, οὕτω καὶ τὸ
ἀναρίθμητον διχῶς λέγεται, καὶ τὸ μὴ πεφυκὸς ἀριθμεῖσθαι
20 καὶ τὸ μὴ ἀριθμούμενον δι' αἰτίαν τινά.

d. Prov. 7, 26   e. Cf. Ps. 146, 5

9 πεφώνευκεν T   ἐπεφόνευκε A ‖ τὸ : καὶ τὸ T ‖ 9-10 λεγόμενον
ἐνταῦθα E ‖ 12 ὁ Δαυὶδ : ὁ θεῖος Δαυὶδ E   Δαυὶδ H ‖ 13 οὐχ
ὡς : οὕτω T ‖ 14 τοῦτο : τούτου H ‖ ὡς : ᾧ E ‖ 14-15 ἀκαταλή-
πτῳ ET ‖ 16 καὶ τὸ¹ : τό τε ET ‖ θεός : ὁ θεός HT ‖ 17-18 ὡς
σίδηρος ἐν τῷ βυθῷ A ‖ 18 διὰ τὸ καλύπτεσθαι scripsi : τὸ
καλύπτεσθαι A   καλυπτόμενος ET om. H ‖ ὑπὸ τοῦ ὕδατος om.
HT ‖ οὕτω]+ δὲ T^sl ‖ 19 καὶ τὸ : τό τε T.

Procope : Εἰ δὲ γέγραπται τῆς συνέσεως τοῦ θεοῦ μὴ εἶναι ἀριθμὸν[e]
διὰ τὸ εἶναι αὐτὴν ὑπὲρ ἀριθμόν, λέγει καὶ ἀκατάληπτον.

NT² — Εὐαγρίου T². — 1 εἰ : ἔτι T² ‖ 2 αὐτὴν post ἀριθμὸν N.

La théorie du nombre présente ici a son origine dans l'interprétation origénienne du recensement des Israélites tel qu'il est rapporté
dans le livre des Nombres, recensement qui n'enregistre que les mâles
ayant vingt ans ou plus. Les femmes et les enfants ne sont pas recen-
sés, parce qu'ils symbolisent ce qui est mauvais ou imparfait ; seuls les
mâles qui représentent la perfection ou certains degrés de perfection
méritent d'être dénombrés. L'*Homélie* I d'ORIGÈNE *sur les Nombres*
débute ainsi : «Tout le monde n'est pas digne d'accéder aux Nombres
divins, mais il y a un ordre déterminé dans la désignation de ceux qui
doivent être comptés dans le Nombre de Dieu» (trad. Méhat, SC 29) ;
selon son habitude, Origène rassemble plusieurs lieux scripturaires
dans lesquels il est question de nombres : *Prov.* 7, 26 ; *Ps.* 146, 4 ;
Matth. 10, 30 («Vos cheveux même sont tous comptés») ; les deux

ceux qu'elle a tués ne sont pas dénombrables[d].» Par
conséquent, le manque évoqué ici, les tués et les reptiles
relèvent d'un même état qui ne s'accorde pas au
nombre spirituel. Si David dit aussi qu'il n'y a pas de
nombre à l'intelligence de Dieu[e], il n'écrit pas cela
parce qu'elle est indigne du nombre, mais parce qu'il
n'est pas dans sa nature d'être soumise à un nombre,
étant donné son caractère insaisissable. Car, de même
que le mot «invisible» s'entend de deux manières : ce
qui est naturellement invisible, comme Dieu, et ce qui
peut naturellement être vu, mais cependant ne l'est pas,
comme le fer au fond de la mer, parce qu'il est caché
par l'eau, de même le mot «indénombrable» peut s'entendre de deux manières : ce qui ne peut naturellement
être dénombré et ce qui n'est pas dénombré pour une
raison quelconque.

premiers sont également présents ici. Pour cette théorie du nombre
spirituel, on peut aussi renvoyer à *De princ.* IV, 3, 12. Chez Évagre, la
théorie reparaît dans la scholie 22 *ad Ps.* 103, 25 : «Il n'y a pas de
nombre pour les hommes reptiles à cause de (leur) malice, car il est
dit : ' Dénombrant les multitudes d'astres et leur donnant à tous un
nom ' (*Ps.* 146, 4)» (*Vaticanus gr. 754*, f. 256 : collation M.-J. Rondeau), et dans la scholie 2 *ad Ps.* 146, 4 : «Le nombre dont Dieu se
sert pour dénombrer les êtres raisonnables indique les différentes
sortes d'états excellents et les noms qu'il leur applique désignent les
différentes connaissances spirituelles. Au sujet des reptiles qui vivent
dans la mer, il dit : ' Il y a là des reptiles sans nombre ' (*Ps.* 103, 25).
Car comment le nombre spirituel pourra-t-il être mis en relation avec
ceux qui rampent sur le ventre et qui sont esclaves des plaisirs, dont
' la colère est à la ressemblance du serpent ' (*Ps.* 57, 5) et ' le venin de
vipère est sous leurs lèvres ' (*Ps.* 139, 4)? Salomon dit aussi qu'ils sont
' nombreux ceux qui ont été blessés par la malice et indénombrables
ceux qui ont été tués (par elle)' (cf. *Prov.* 7, 26)» (*Vaticanus gr. 754*,
f. 350 : collation M.-J. Rondeau). Considérations identiques chez
Didyme (p. 275, l. 37 - p. 276, l. 20). La fin de la scholie se termine
par des remarques sur les différentes valeurs que peut prendre l'*alpha*
privatif. Pour ce qui est du mot ἀόρατον, Évagre se souvient sûrement
de l'exégèse que Basile de Césarée avait donnée de *Gen.* 1, 2 («la

terre était invisible») dans ses *Homélies sur l'Hexaéméron* (II, 1) :
« Invisible (ἀόρατον), qu'est-ce donc [en effet]? Ce qui n'est pas de
nature à tomber sous nos yeux de chair (ὁ μὴ πέφυκεν ὀφθαλμοῖς σαρκὸς καθορᾶσθαι) : tel notre esprit ; et ce qui, bien que naturellement

---

2, 6 < ἐποίησά μοι κολυμβήθρας ὑδάτων
τοῦ ποτίσαι ἀπ᾿ αὐτῶν δρυμὸν βλαστῶντα
ξύλα >

7. Ὑπερβατῶς εἴρηται · ἔστι δὲ αὐτοῦ ἡ ἐπ᾿ εὐθεῖαν
ἀνάγνωσις ἥδε · τοῦ ποτίσαι ἀπ᾿ αὐτῶν τὰ ξύλα δρυμοῦ
βλαστῶντα.

> **A EHT**   ⏋ 1 ante ὑπερβατῶς add. κατὰ θεωρίαν δὲ E ‖ ἔσται
> T ‖ 1-2 αὐτοῦ [om. H] — ἥδε A H : οὕτως ET ‖ 2 τὰ ξύλα
> [+ τοῦ H] δρυμοῦ A H : τὰ ξ. τῶν δρυμῶν T   δρυμῶν τὰ ξ. E ‖
> 3 βλαστῶντα scripsi : βλαστῶν A H   τῶν βλαστῶν ET.

L'authenticité évagrienne de cette scholie n'est pas certaine. L'emploi du verbe βλαστᾶν qui est attesté pour la première fois dans ce
passage de l'Ecclésiaste (à la place des formes courantes βλαστεῖν et
βλαστάνειν) et la construction curieuse des trois derniers mots sont à

2, 10¹⁻⁴ < καὶ πᾶν ὃ ᾔτησαν οἱ ὀφθαλμοί μου,
οὐκ ὑφεῖλον ἀπ᾿ αὐτῶν ·
οὐκ ἀπεκώλυσα τὴν καρδίαν μου
ἀπὸ πάσης εὐφροσύνης >

8. Οὐ λόγῳ αἰτεῖ γνῶσιν ψυχή, ἀλλὰ τῇ καθαρότητι · « οὐ
γὰρ πᾶς ὁ λέγων μοι · κύριε, κύριε, εἰσελεύσεται, φησίν, εἰς
τὴν βασιλείαν τῶν οὐρανῶν, ἀλλ᾿ ὁ ποιῶν τὸ θέλημα τοῦ

> **A EHT**   ἄλλως E   τοῦ Χρ(υσοστόμου) H   ἄλλω(ς) T   ⏋ 1
> λόγῳ]+ δὲ E ‖ ψυχῆς A T ‖ τῇ om. E ‖ 2 μοι om. T ‖ 2-3
> εἰσελεύσεται — οὐρανῶν : σωθήσεται E ‖ 2 φησίν post 4 μου H.

visible, disparaît derrière l'écran que lui fait un corps : tel le fer, au fond de l'abîme (ὡς ὁ ἐν τῷ βυθῷ σίδηρος). C'est en ce dernier sens, croyons-nous, que la terre est dite invisible, cachée qu'elle était sous l'étendue des eaux (καλυπτομένην ὑπὸ τοῦ ὕδατος)» (trad. Giet, *SC* 26).

2, 6 *J'ai fait pour moi des réservoirs d'eau*
pour en arroser une plantation faisant germer des
arbres

7. Il y a une inversion. La lecture correcte de ce ver-set est la suivante : Pour en arroser les arbres d'une plantation en train de germer.

l'origine de la grande confusion qui règne à cet endroit, aussi bien chez les traducteurs — anciens et modernes — du passage (voir Lys, p. 203-204) que chez les copistes de notre scholie (voir apparat). Dans la restitution que nous proposons, le verbe βλαστᾶν, de transitif qu'il était dans le lemme, devient intransitif dans la scholie. A cet endroit DIDYME s'attache seulement au sens du mot δρυμός : plantation d'arbres ne produisant pas de fruits comestibles (p. 215, l. 32-34).

2, 10$^{1-4}$ *Et tout ce que mes yeux ont demandé,*
je ne le leur ai pas soustrait,
je n'ai écarté mon coeur
d'aucune joie

8. Ce n'est pas par la parole que l'âme demande la science, mais par la pureté, car il est dit : «Ce n'est pas celui qui me dit : Seigneur, Seigneur, qui entrera dans le royaume des cieux, mais celui qui fait la volonté de mon

πατρός μου[a]»· κατὰ ἀναλογίαν γὰρ τῆς καταστάσεως καὶ
5 τὴν γνῶσιν δεχόμεθα, εἴγε ᾧ μέτρῳ μετροῦμεν καὶ
ἀντιμετρηθήσεται ἡμῖν[b]· αἴτησις τοίνυν ἐστὶ νοητὴ ἀπάθεια
ψυχῆς λογικῆς ἁγίαν γνῶσιν ἐπισπωμένη. Οὕτως οὖν οὐδὲν
ὑφαιρεῖ ἀπὸ τῶν ὀφθαλμῶν ὁ πάσης τῆς γνώσεως παρέχων
ἑαυτὸν δεκτικόν· πᾶσαν δὲ λέγω γνῶσιν, τὴν πεφυκυῖαν ἐπι-
10 συμβαίνειν ψυχῇ συνδεδεμένη αἵματι καὶ σαρκί.

a. Matth. 7, 21   b. Cf. Matth. 7, 2

5 εἴγε : εἰ δὲ Α Η || καὶ om. Τ || 7 ψυχῆς : ψυχηκῆς Τ || ἐπισπω-
μένης Α || οὕτως : οὗτος Η || 8 ὑφαιρεῖ : ἀφαιρεῖ Ε || 9 ἑαυτῷ Τ ||
δεκτικός Τ || 10 ψυχῇ ΕΤ|| συνδεδεμένην Τ || σαρκὶ καὶ αἵματι Ε.

Procope : Οὐ λόγων γνῶσιν αἰτεῖ ἡ ψυχή, ἀλλὰ τὴν καθαρότητα·
κατὰ ἀναλογίαν γὰρ τῆς καταστάσεως καὶ τὴν γνῶσιν δεχόμεθα· αἴτησις
τοίνυν ἐστὶ νοητὴ ἀπάθεια ψυχῆς λογικῆς ἁγίαν γνῶσιν ἐπισπωμένη.
Οὕτως οὖν οὐδὲν ὑφαιρεῖ ἀπὸ τῶν ὀφθαλμῶν ὁ πάσης γνώσεως, ἣν ἐν
σαρκὶ χωρεῖ ψυχή, παρέχων ἑαυτὸν δεκτικόν.

N. — 3 ἐπισπωμένη scripsi : -μέν Ν.

Sur l'impassibilité qui «appelle» la science, voir la scholie 19 *ad
Prov.* 2, 3 : «Maintenant il nomme 'voix' l'impassibilité de l'âme, car
il est dans sa nature d'appeler la science de Dieu.» Pour la corrélation

9. Ὁ μηδὲν ἁμαρτάνων οὐκ ἀποκωλύει τὴν καρδίαν
αὐτοῦ ἀπὸ πάσης πνευματικῆς εὐφροσύνης.

Α ΕΗΤ́   Πολυχρ(ονίου) Η   ⌐ 1 ὁ : ὅτι ὁ Ε || 2 αὐτοῦ om. Ε
|| εὐφροσύνης πνευματικῆς Τ.

Procope : Ὁ μὴ ἁμαρτάνων δὲ οὐκ ἀποκωλύει τὴν καρδίαν ἀπὸ πάσης
εὐφροσύνης πνευματικῆς.

N. — 1 ἁμαρτάνων scripsi : ἁμαρτῶν Ν.

Père [a]. » C'est en effet en fonction de notre état que nous recevons la science, s'il est vrai que c'est avec la mesure avec laquelle nous mesurons que l'on mesurera pour nous [b]. La demande intelligible est par conséquent l'impassibilité de l'âme raisonnable qui attire la sainte science. Ainsi donc il ne soustrait rien à ses yeux celui qui se rend capable de recevoir toute la science : je veux parler de toute la science qui peut naturellement survenir dans une âme liée au sang et à la chair.

qui existe entre impassibilité et science, voir par exemple la scholie 199 *ad Prov.* 19, 17 : «... car c'est en proportion de notre impassibilité que nous sommes jugés dignes de recevoir la science.» La fin de la scholie introduit une précision importante : l'homme, du fait de sa condition, ne peut accéder à la totalité de la science ; voir *Gnostique* 23 ; la scholie 153 *ad Prov.* 17, 2, qui évoque des *logoi* tout à fait profonds échappant à la condition humaine ; *Disciples d'Évagre* 105 : « Il y a des limites fixées à la condition humaine dans la connaissance de la vérité présente dans les êtres.» Évagre admet cependant que quelques très rares hommes peuvent atteindre dès ici-bas une connaissance qui dépasse l'humanité et qui s'assimile à la connaissance des anges : voir la note à la scholie 103 *ad Prov.* 9, 2. Sur l'utilisation de la périphrase «ceux qui sont liés au sang et à la chair» pour désigner les hommes, voir la note à la scholie 287 B *ad Prov.* 30, 9.

9. Celui qui ne commet aucun péché n'écarte son coeur d'aucune joie spirituelle.

Thème de la joie spirituelle : schol. 2 *ad Ps.* 19, 6 ; 12 *ad Ps.* 32, 21, etc. Évagre prend soin de spiritualiser tous les versets qui pourraient orienter vers une conception épicurienne de la vie.

2, 11⁴   < καὶ ἰδοὺ τὰ πάντα ματαιότης καὶ προαίρεσις
πνεύματος >

10. Πνεῦμα τὴν ψυχὴν ὀνομάζει· ἡ γὰρ προαίρεσίς ἐστι
ποιὰ νοῦ κίνησις. Καὶ ὁ Δαυίδ· «εἰς χεῖράς σου παραθήσο-
μαι τὸ πνεῦμά μου ᵃ»· καὶ ὁ Στέφανος· «κύριε Ἰησοῦ, φησί,
δέξαι τὸ πνεῦμά μου ᵇ»· καὶ ἐν ταῖς Βασιλείαις· «οὐκ
5 ἐλύπησε, φησίν, ὁ Δαυὶδ τὸ πνεῦμα Ἀμνὼν τοῦ υἱοῦ
αὐτοῦ ᶜ.»

        a. Ps. 30, 6   b. Act. 7, 59   c. II Sam. 13, 21

    A EHT   Ἐσταθ(ίου) (sic) Ἀντ(ι)ο(χείας) H   ⌉ 1 πνεῦμα] +
νῦν T ‖ ἡ γὰρ προαίρεσις : πρ. δέ E   πρ. γάρ H ‖ 2 σου] + φησί
T ‖ παρατίθημοι H ‖ 3-4 καὶ — μου post 6 αὐτοῦ E ‖ 3 ὁ] +
πρωτομάρτυς E ‖ Ἰησοῦ] + Χριστέ T ‖ φησί om. H ‖ 4 ἐν ταῖς
Βασιλείαις : ἐν τῇ βίβλῳ τῶν Βασιλειῶν E ‖ 5 ὁ om. A H ‖
Ἀμνὼν : Ἀμνῶν A E om. T.

    PROCOPE : Πνεῦμα νῦν τὴν ψυχὴν ὀνομάζει· ἡ γὰρ προαίρεσίς ἐστι
ποιὰ νοῦ κίνησις. Καὶ ὁ Δαυίδ· «εἰς χεῖράς σου παρατίθημι τὸ πνεῦμά
μου ᵃ.»

        KMN — Ὠρ(ι)γ(έ)ν(ους) K. — 1 νῦν : δὲ M ‖ ποιὰ νοῦ : ποιὸν οὐ
KM.

On notera qu'Évagre réagit avec un certain retard, puisque l'expression προαίρεσις πνεύματος était déjà apparue en *Eccl.* 1, 14.17. Il
ne la comprendra jamais dans le sens que voulait lui donner le traducteur (Aquila) : «poursuite de vent», mais selon la signification philo-

2,   14¹   < τοῦ σοφοῦ οἱ ὀφθαλμοὶ αὐτοῦ ἐν κεφαλῇ
αὐτοῦ >

2, 11⁴ *Et voici, tout est vanité et choix de l'esprit*

10. Il nomme «esprit» l'âme, car le choix est un certain mouvement de l'intellect. Et David dit : «Dans tes
mains je déposerai mon esprit[a]»; Étienne : «Seigneur
Jésus, reçois mon esprit[b]»; et dans les Règnes, il est
dit : «David n'attrista pas l'esprit d'Amnon, son fils[c].»

sophique habituelle du mot προαίρεσις et selon cette «habitude de
l'Écriture» qui use du mot *pneuma* pour désigner l'âme et l'intellect.
Cf. schol. 4 *ad Ps.* 30, 6 : «Maintenant l'esprit désigne l'intellect, car
l'intellect 'qui s'attache au Seigneur devient (avec lui) un seul esprit'
(*I Cor.* 6, 17)» (*Vaticanus gr. 754*, f. 90ᵛ : collation M.-J. Rondeau).
Dans le commentaire du verset, DIDYME ne s'exprime pas autrement ;
il dit que le mot *pneuma* peut selon les cas désigner l'opinion (γνώμη)
ou l'âme ; pour le premier sens, il cite *I Cor.* 7, 34, et pour le second,
Jac. 2, 26 et *Act.* 7, 59 (p. 224, et aussi p. 201-202, 208). Quant à
JÉRÔME (p. 259-260), il hésite entre deux traductions : *pastio venti*
(action de paître du vent) et *praesumptio spiritus* (préméditation de
l'esprit). Dans la suite de ces scholies, Évagre ne se départira pas de
son interprétation, et quand il s'agira du «souffle des animaux», il
conservera l'interprétation psychique du mot *pneuma* en donnant des
animaux une interprétation symbolique (schol. 21-22). Dans la scholie 23 *ad Prov.* 2, 17, la décision (βουλή) est aussi définie comme un
certain mouvement de l'intellect (ποιὰ νοῦ κίνησις).
    Cette scholie a été éditée à plusieurs reprises : sous le nom de
Denys d'Alexandrie par C. L. Feltoe et par S. Leanza, et sous le nom
d'Eustathe d'Antioche par F. Cavallera et M. Spanneut. Voir l'Introduction, p. 47 et n. 1, 2 et 5.

2, 14¹ *Les yeux du sage sont dans sa tête*

11. Εἰ «παντὸς ἀνδρὸς κεφαλὴ ὁ Χριστός [a]», ἀνὴρ δὲ καὶ
ὁ σοφός, κεφαλὴ τοῦ σοφοῦ ὁ Χριστός · ἀλλ' ὁ Χριστὸς ἡμῶν
σοφία ἐστίν — «ἐγεννήθη γὰρ ἡμῖν σοφία ἀπὸ θεοῦ [b]» — , ἡ
κεφαλὴ ἄρα τοῦ σοφοῦ ἡ σοφία ἐστίν, ἐν ᾗ τοὺς ὀφθαλμοὺς
5 ἔχει τῆς διανοίας ὁ σοφὸς θεωρῶν ἐν αὐτῇ τοὺς λόγους τῶν
γεγονότων.

a. I Cor. 11, 3   b. I Cor. 1, 30

A EHT   E : 1-2 εἰ — Χριστός[1] desunt ⌐ 1 παντὸς :
πάντως A[ac] ‖ ἀνδρὸς : τοῦ ἀ. A ‖ κεφαλὴ : ἡ κ. T ‖ 1-3 ἀνὴρ —
ἐστίν om. H ‖ 2 κεφαλὴ]+ ἄρα T ‖ 2-3 σοφία ἡμῶν E ‖ 3
ἐγεννήθη [ἐγενήθη E] γὰρ A ET : ὃς ἐγενήθη H ‖ 4 ἡ om. A ‖
ἐστίν om. H.

PROCOPE : Κεφαλὴ τοῦ σοφοῦ ἡ σοφία ἐν ᾗ τοὺς ὀφθαλμοὺς ἔχει τῆς
διανοίας, θεωρῶν ἐν αὐτῇ τοὺς λόγους τῶν γεγονότων.

NT[2] v. notam — Εὐαγρ(ίου) T[2].

Apparat critique de Procope. Il existe dans T un troisième état du
texte, dont nous n'avons pas réussi à déterminer l'origine : Ἡ κεφαλὴ
ἄρα τοῦ σοφοῦ ἡ ὄντως ἐστὶ σοφία θεωροῦντος ἐν αὐτῇ τοὺς λόγους τῶν

2, 22   < ὅτι γίνεται τῷ ἀνθρώπῳ ἐν παντὶ μόχθῳ αὐτοῦ
καὶ ἐν προαιρέσει καρδίας αὐτοῦ,
ᾧ αὐτὸς μοχθεῖ ὑπὸ τὸν ἥλιον >

12. Ἐντεῦθεν δείκνυται ὅτι ἡ προαίρεσις τοῦ πνεύματος [a]
προαίρεσις καρδίας ἐστίν.

a. Cf. Eccl. 1, 14.17 ; 2, 11 ; etc.

A ET   ⌐ 1 ὅτι om. E ‖ ἡ : καὶ ἡ T ‖ πνεύματος]+ ὅταν E.

PROCOPE : Ἐντεῦθεν δείκνυται ὅτι καὶ ἡ προαίρεσις τοῦ πνεύματός
ἐστι καρδία.

Adest in N.

11. Si «le Christ est la tête de tout homme [a]» et si le
sage aussi est un homme, le Christ est la tête du sage.
Mais puisque le Christ est notre sagesse — «car il a été
engendré pour nous sagesse par Dieu [b]» —, la tête du
sage est donc la sagesse, dans laquelle le sage a les yeux
de la pensée lorsqu'il contemple en elle les raisons des
êtres créés.

γεγονότων. On relèvera la présence du mot ἄρα qui ne se trouve que
dans le texte original et celle de l'adverbe ὄντως qui est propre à cet
état du texte.

Cf. Origène, *Entretien avec Héraclide* 20 (*SC* 67, l. 14-23) : «Il y a
une <curieuse> parole dans l'" Ecclésiaste '; sans doute à qui ne la
comprend pas elle paraîtra insensée, mais c'est pour le sage que l'Ecclésiaste l'a dite : ' Le sage a ses yeux dans sa tête. ' Dans quelle tête ?
Tout homme, même l'insensé et le fou, a ses yeux corporels dans sa
tête corporelle. Mais ' le sage a ses yeux ', — ceux dont il a déjà été
question, ceux qui sont éclairés par le précepte du Seigneur, — ' dans
sa tête ', dans le Christ, car ' La tête de l'homme, c'est le Christ ', dit
l'apôtre. Le principe pensant est dans le Christ» (trad. Scherer). C'est
à un autre passage de l'Apôtre, *I Cor.* 2, 16, que renvoie Didyme
(p. 228, l. 17-18).

2, 22   *Car cela arrive à l'homme dans toute sa fatigue*
et dans le choix de son coeur,
dans cette fatigue qu'il endure lui-même sous le
soleil

12. Par là il est montré que le choix de l'esprit [a] est le
choix du coeur.

Évagre voit dans la substitution de καρδίας au mot πνεύματος une
confirmation de la justesse de l'interprétation donnée dans la scholie 10 *ad Eccl.* 2, 11.

2, 25 <ὅτι τίς φάγεται καὶ τίς πίεται πάρεξ αὐτοῦ ;>

13. Τίς γὰρ χωρὶς Χριστοῦ δυνήσεται φαγεῖν τὰς σάρκας αὐτοῦ ἢ πιεῖν τὸ αἷμα αὐτοῦ[a], ἅπερ ἀρετῶν σύμβολά ἐστι καὶ γνώσεως ;

a. Cf. Jn 6, 51-58

A EHT ⏋ 1 δυνήσηται T δύναται H ‖ τὰς σάρκας : τὸ ἄχραντον σῶμα E ‖ 2 πιεῖν om. E ‖ αἷμα : τίμιον αἷμα E ‖ ἀρετῶν : ἀφετῶν A ‖ 2-3 καὶ γνώσεώς ἐστι [εἰσι T] σύμβολα ET.

Interprétation symbolique des chairs et du sang du Christ qui se retrouve en *Moines* 118-119 : «Chairs du Seigneur : les vertus pratiques, qui les mange deviendra impassible. Sang du Christ : contem-

---

2, 26[4-7] <καὶ τῷ ἁμαρτάνοντι ἔδωκεν περισπασμὸν τοῦ προσθεῖναι καὶ τοῦ συναγαγεῖν τοῦ δοῦναι τῷ ἀγαθῷ πρὸ προσώπου τοῦ θεοῦ · ὅτι καί γε τοῦτο ματαιότης καὶ προαίρεσις πνεύματος >

14. Τοῦτο ὅμοιόν ἐστι τῇ παροιμίᾳ τῇ λεγούσῃ · «ὁ πληθύνων τὸν πλοῦτον αὐτοῦ μετὰ τόκων καὶ πλεονασμῶν τῷ ἐλεῶντι πτωχοὺς συνάγει αὐτὸν[a]» καὶ «σπεύδει πλουτεῖν ἀνὴρ βάσκανος καὶ οὐκ οἶδεν ὅτι ἐλεήμων κρατήσει 5 αὐτοῦ[b]» · διόπερ ἀρκεσθῶμεν τοῖς ἐκεῖσε κειμένοις σχολίοις. Πλὴν τοῦτο ἰστέον, ὅτι ματαιότητα τὴν συναγωγὴν τῶν ἁμαρτιῶν ἀπεφήνατο, οὐ τὸ τυχεῖν αὐτὸν παρὰ θεοῦ ἀγαθοῦ διδασκάλου.

a. Prov. 28, 8   b. Prov. 28, 22

A EHT T : 5-8 διόπερ — διδασκάλου desunt ⏋ 1 τοῦτο]+ δὲ T ‖ 2 τῶν πλούτων T ‖ τόκον T ‖ 3 ἐλεῶντι E ἐλεοῦντι HT ‖ καὶ] + πάλιν T ‖ 5-6 ἀρκεσθῶμεν — τοῦτο om. E.

2, 25 *Car qui mangera et qui boira en l'absence (de Dieu)?*

13. Qui en effet sans le Christ pourra manger ses chairs ou boire son sang [a], lesquels sont les symboles des vertus et de la science?

plation des êtres créés, qui le boira par lui deviendra sage» (trad. Lavaud, *Lettre de Ligugé* 124 [1967], p. 29). Cette interprétation est implicite dans l'allégorie du mystère de l'Eucharistie faite en *Gnostique* 14. On trouvera un commentaire quelque peu différent des versets johanniques dans la *Lettre sur la Trinité* 4, l. 16-22 : la chair et le sang du Christ signifient «son avènement mystique et son enseignement composé de pratique, de physique et de théologie, enseignement qui nourrit l'âme et la prépare à la contemplation des êtres».

2, 26[4-7] *Et à celui qui pèche, il a donné comme occupation*
d'ajouter et de rassembler
pour donner à celui qui est bon devant la face de Dieu,
car cela aussi est vanité et choix de l'esprit

14. Cela ressemble au proverbe qui dit : «Celui qui multiplie sa richesse par les intérêts et l'usure la rassemble pour celui qui a pitié des pauvres [a]», et (à cet autre) : «L'homme envieux s'empresse de s'enrichir et il ignore que le miséricordieux le dominera [b].» C'est pourquoi nous devons nous contenter des scholies qui sont placées là-bas. Mais il faut tout de même savoir ceci : il a déclaré «vanité» le rassemblement des péchés, non le fait qu'il obtient de Dieu un «bon» maître.

Procope : Ματαιότητα τὴν συναγωγὴν τῶν ἁμαρτιῶν ἀπεφήνατο.

NT² − Εὐαγρίου T². − ματαιότητα] + δὲ N.

Sur la richesse comme symbole de la malice, voir la scholie 134 *ad Prov.* 13, 22. Amassée ici-bas par les pécheurs, cette mauvaise richesse sera détruite dans le monde à venir par les anges qui auront en charge leur rééducation : voir Géhin, *Scholies aux Proverbes*, Introd., p. 49-50. L'expression τοῖς ἐκεῖσε κειμένοις σχολίοις peut faire difficulté. On pourrait d'abord penser que les deux parallèles bibliques

---

3, 10 < εἶδον σὺν τὸν περισπασμὸν* ὃν ἔδωκεν ὁ θεὸς
τοῖς υἱοῖς τοῦ ἀνθρώπου τοῦ περισπᾶσθαι ἐν
αὐτῷ.

11 σύμπαντα ἃ ἐποίησεν καλὰ ἐν καιρῷ αὐτοῦ,
καί γε σὺν τὸν αἰῶνα ἔδωκεν ἐν καρδίᾳ
αὐτῶν*,
ὅπως μὴ εὕρῃ ὁ ἄνθρωπος
τὸ ποίημα ὃ ἐποίησεν ὁ θεὸς ἀπ᾽ ἀρχῆς καὶ
μέχρι τέλους.

12 ἔγνων ὅτι οὐκ ἔστιν ἀγαθὸν ἐν αὐτοῖς,
εἰ μὴ τοῦ εὐφρανθῆναι καὶ τοῦ ποιεῖν ἀγαθὸν
ἐν ζωῇ αὐτοῦ ·

13 καί γε πᾶς ἄνθρωπος ὃς φάγεται καὶ πίεται
καὶ ἴδῃ ἀγαθὸν ἐν παντὶ μόχθῳ αὐτοῦ,
τοῦτο δόμα θεοῦ ἐστιν >

15. Εἶδον, φησί, τὰ αἰσθητὰ πράγματα περισπῶντα τὴν διάνοιαν τοῦ ἀνθρώπου, ἅπερ ἔδωκεν ὁ θεὸς πρὸ τῆς καθάρσεως τοῖς ἀνθρώποις ἵν᾽ ἐν αὐτοῖς περισπῶνται. Πρόσκαιρον

AB EHT Βα(σιλείου) H (prius frag.) B : 1-7 εἶδον — θεωρίαν desunt H : 21-25 ἔγνων — θεοῦ alterum frag. ⎤ 1 εἶδον] + οὖν E ‖ τὰ om. T [rest. Tˢˡ] ‖ αἰσθητὰ] + καὶ ῥευστὰ H ‖ περισπῶντα : τὰ π. ET ‖ 2 τοῦ ἀνθρώπου : τῶν ἀνθρώπων H ‖ 2-3 πρὸ τῆς καθάρσεως om. Tᵗˣ [rest. Tᵐᵍ ⁱⁿᶠ] ‖ 3 τοῖς om. E ‖ ἵν᾽ : ἵνα EHT.

précédemment cités forment les scholies en question. Il arrive en effet qu'une scholie se réduise à de tels parallèles. Mais on objectera immédiatement qu'Évagre aurait plutôt employé dans ce cas ῥητόν et que l'adverbe d'éloignement ἐκεῖσε peut difficilement renvoyer à quelque chose qui est situé dans une proximité aussi immédiate. Dans ces conditions, il faut considérer que l'on a ici un renvoi aux *Scholies aux Proverbes* où l'on trouve effectivement un commentaire pour les versets 8 et 22 du chapitre 28 (schol. 345 et 354); ἐκεῖσε signifie par conséquent : là-bas, en marge du livre des Proverbes. La fin de la scholie restreint le champ d'application de la vanité, selon une façon de faire que l'on retrouvera dans les scholies 21 et 51.

3,   10   *J'ai vu l'occupation que Dieu a donnée*
             aux fils de l'homme pour qu'ils s'y occupent.
       11   *Tout ce qu'il a fait est bon au moment qui est*
                                    sien,
             et il a donné le siècle à leur coeur,
             de telle façon que l'homme ne trouve pas
             l'oeuvre que Dieu a faite du début jusqu'à la fin.
       12   *J'ai reconnu qu'il n'y a pas d'autre bien en eux*
             si ce n'est (pour l'homme) de se réjouir et faire le
                               bien dans sa vie.
       13   *Et tout homme qui mangera et boira,*
             et qui verra le bien dans toute sa fatigue,
             cela est un don de Dieu

15. J'ai vu, dit-il, les objets sensibles occuper la pensée de l'homme, objets que Dieu a donnés aux hommes avant leur purification pour qu'ils s'y occupent. Il dit

δὲ αὐτῶν τὴν καλλονὴν λέγει καὶ οὐκ ἀίδιον· μετὰ γὰρ τὴν
5 κάθαρσιν οὐκ ἔτι ὡς περισπῶντα τὸν νοῦν αὐτοῦ μόνον ὁ
καθαρὸς τὰ αἰσθητὰ πράγματα καθορᾷ, ἀλλ᾽ ὡς ἐγκείμενα
αὐτῷ πρὸς τὴν πνευματικὴν θεωρίαν. Ἄλλως γὰρ τυποῦται
ὁ νοῦς τοῖς αἰσθητοῖς διὰ τῶν αἰσθήσεων ἐπιβάλλων
αἰσθητῶς, καὶ ἄλλως διατίθεται τοὺς λόγους τοὺς ἐναποκει-
10 μένους τοῖς αἰσθητοῖς θεωρῶν· ἀλλ᾽ αὕτη μὲν ἡ γνῶσις
καθαροῖς μόνον ἐπισυμβαίνει, ἡ δὲ διὰ τῶν αἰσθήσεων
κατανόησις τῶν πραγμάτων καὶ καθαροῖς καὶ ἀκαθάρτοις.
Διὸ καὶ περισπασμὸν πρόσκαιρον εἶπεν αὐτὴν παρὰ θεοῦ
δεδομένην· προνοούμενος γὰρ ὁ θεὸς τῆς ἐμπαθοῦς ψυχῆς
15 ἔδωκεν αὐτῇ αἰσθήσεις καὶ πράγματα αἰσθητά, ὅπως ἐν
αὐτοῖς περισπωμένη καὶ νοηματιζομένη ἐκφεύγῃ τοὺς
μέλλοντας αὐτῇ παρὰ τῶν ἀντικειμένων ἐμβάλλεσθαι λογισ-
μούς. Ἔδωκε δὲ αὐτοῖς, φησί, καὶ τὸν αἰῶνα, τουτέστι τοὺς
λόγους τοῦ αἰῶνος· αὕτη γάρ ἐστιν ἡ βασιλεία τῶν οὐρανῶν
20 ἣν ἐντὸς ἔχειν ἡμᾶς εἶπεν ὁ κύριος [a], ἥτις καλυπτομένη ὑπὸ
τῶν παθῶν οὐχ εὑρίσκεται τοῖς ἀνθρώποις. Ἔγνων οὖν,
φησίν, ὅτι οὐκ ἔστι τὰ πράγματα ἀγαθά, ἀλλ᾽ οἱ λόγοι τῶν
πραγμάτων, ἐφ᾽ οἷς καὶ εὐφραίνεσθαι πέφυκεν ἡ φύσις ἡ
λογικὴ καὶ ἐργάζεσθαι τὸ ἀγαθόν· οὐδὲν γὰρ οὕτω τρέφει
25 καὶ ποτίζει τὸν νοῦν ὡς ἀρετὴ καὶ γνῶσις θεοῦ.

a. Cf. Lc 17, 21

4 τὴν καλλονὴν αὐτῶν E || 5 ἔτι : ἔσται T || 6 ἐγκείμενα : ἐκκεί-
μενα EH || 9 αἰσθητῶς : ὡς αἰσθητοῖς B   om. ET || 9-10 ἀπο-
κειμένους E || 10 αὕτη : αὐτῇ A   αὕτην T || μὲν] + καὶ T || 11
μόνον : μόνος E   μόνος T || 11-12 ἡ δὲ — ἀκαθάρτοις om. ET ||
13 αὐτὴν om. T || 14 δεδομένον H || τῇ ἐμπαθῇ ψυχῇ A || 15
αἴσθησιν H || πραγμάτων αἰσθητῶν A || 16 καὶ om. E || νοηματι-
ζομένη : νοήματι μεριζομένη A   ἐννοοῦσα ET || ἐκφεύγει
B   ἐκφύγῃ E   ἐκφύγοι T || 17 ἐμβάλεσθαι B ET || 18 δὲ : γὰρ
H || αὐταῖς B || 19 λόγους : λογισμοὺς T || αὕτη γάρ ἐστιν ἡ
βασιλεία : οὗτοι δέ εἰσι τῆς βασιλείας ET || 20 ἔχειν ἡμᾶς εἶπεν ὁ
κ. H : ἔχειν εἶπεν ἡμᾶς ὁ κ. B   ἡμᾶς ἔχειν εἶπεν ὁ κ. E   εἶπεν ὁ
κ. ἔχειν ἡμᾶς A   εἶπεν ἡμᾶς ἔχειν ὁ κ. T || 20-21 καλυπτομένη
post παθῶν ET || 21 οὐχ : οὐκ A || εὑρίσκε[τοῖς] B || 22 τὰ
πράγματα ἀγαθά : πρ. τὰ ἀγ. ET || 23 καὶ om. A H || 24 οὐδὲ E ||
25 τὸν νοῦν om. E || θεοῦ om. B.

leur beauté temporaire et non pas éternelle, car après la
purification le pur ne considère plus seulement les
objets sensibles comme des occupations pour son intellect, mais comme des (moyens) placés en lui de parvenir
à la contemplation spirituelle. Autre est la façon dont
l'intellect est impressionné quand il perçoit de façon
sensible ce qui est sensible par l'intermédiaire des sens,
autre est la disposition qui est la sienne quand il
contemple les raisons placées dans ce qui est sensible.
Mais cette science n'arrive qu'aux purs, tandis que la
saisie des objets par les sens arrive aussi bien aux purs
qu'aux impurs. C'est pourquoi il a qualifié cette dernière, qui est donnée par Dieu, d'occupation temporaire. Car Dieu dans sa providence envers l'âme passible
lui a donné les sens et les objets sensibles pour que,
occupée à ces (objets) et y réfléchissant, elle échappe
aux (mauvaises) pensées que vont lui inspirer les adversaires. « Il leur a donné, dit-il, aussi le siècle », c'est-à-
dire les raisons du siècle, car c'est là le royaume des
cieux que nous avons à l'intérieur de nous, selon la
parole du Seigneur[a], mais que les hommes ne trouvent
pas tant qu'il est caché par les passions. J'ai reconnu,
dit-il, que ce ne sont pas les objets qui sont bons, mais
les raisons des objets, pour lesquelles la nature raisonnable se réjouit et fait le bien, car rien ne nourrit ni
n'abreuve autant l'intellect que la vertu et la science de
Dieu.

Lemme biblique. Première utilisation de σὺν + accusatif pour
rendre la particule hébraïque 'et. Cette particularité du livre de l'Ecclésiaste ne suscite aucun commentaire de la part d'Évagre. On
notera que, dans ce qui aurait dû être sa première occurrence, des
manuscrits l'ont jointe au mot suivant pour former σύμπαντα (cf.
apparat de Rahlfs).

Lignes 1-7. Évagre ne méprise pas le monde matériel et sensible ;
rendu nécessaire par la chute, celui-ci a un rôle providentiel à jouer
dans le salut des êtres (voir *infra*). Cependant ceux qui se seront puri-

PROCOPE : Τουτέστι τοὺς λόγους τοῦ αἰῶνος· αὕτη γάρ ἐστιν ἡ
βασιλεία τῶν οὐρανῶν ἣν ἐντὸς ἔχειν ἡμᾶς ὁ κύριός φησιν, ἥτις καὶ καλυπτομένη ὑπὸ τῶν παθῶν οὐχ εὑρίσκεται τοῖς ἀνθρώποις.

Adest in N.

fiés par les vertus devront passer d'une connaissance grossière et
immédiate de la réalité à une connaissance plus fine, celle des *logoi*
cachés dans cette réalité (cf. *KG* II, 10). Le mot καλλονή, suggéré par
le mot καλά du v. 11, est certainement une réminiscence de *Sag.* 13,
5 : «Car en partant de la grandeur et de la beauté (καλλονῆς) des
créatures on contemple par analogie leur auteur»; verset cité en relation avec la contemplation naturelle dans plusieurs textes : *Lettre sur
la Trinité* 12, l. 39-40; *KG* I, 87 (texte grec dans Muyldermans, *Evagriana*, p. 58); schol. 7 *ad Ps.* 17, 12; *Disciples d'Évagre* 123.

Lignes 7-12. Même formulation en *Pensées* 41 (*PG* 79, ch. 24, 1229
A 4-5) : ἄλλως μὲν ὁ νοῦς τυπωθήσεται... καὶ ἄλλως διατεθήσεται..., et
aussi en *KG* V, 60. Sur le verbe ἐπιβάλλειν, voir la note à la scholie 5
ad Prov. 1, 7. A propos du verbe ἐναποκεῖσθαι, voir la scholie 72 *ad
Prov.* 6, 8, qui compare les *logoi* contenus dans la réalité au miel
déposé dans le rayon de cire (τὸ ... ἐναποκείμενον αὐτῷ μέλι), et aussi
Disciples d'Évagre 99 : «Celui qui fait un bon usage des choses indifférentes recevra la science véritable placée en elles (τὴν ἐναποκειμένην ἐν
αὐτοῖς ἀληθῆ γνῶσιν)». La connaissance des *logoi* nécessite une purification, à la différence de la connaissance sensible ou de la connaissance scientifique; comparer avec ce qui est dit de la dialectique en
KG IV, 90 (texte grec dans Muyldermans, *Evagriana*, p. 59) : ... Τὸ
μὲν γὰρ διαλέγεσθαι καὶ ταῖς ἀκαθάρτοις προσγίνεται ψυχαῖς· τὸ δὲ
βλέπειν μόναις ταῖς καθαραῖς («car la dialectique survient même chez
les âmes impures, tandis que la vision n'arrive qu'aux âmes pures»);
sur le même thème *KG* I, 32; V, 57; etc.

Lignes 13-18. Le corps et le monde matériel sont pour l'homme un
don de la providence divine, car ils le mettent à l'abri des êtres davantage déchus que sont les démons. Voir *KG* IV, 82, qui présente le
corps comme un «refuge» contre les démons, ou encore *KG* IV, 76, qui
montre de façon imagée le dommage qu'il y aurait pour l'âme à vouloir sortir du corps, tant qu'elle reste passible. Les pensées humaines,
qu'Évagre appelle aussi les pensées naturelles, ont un rôle à jouer
dans la lutte contre les mauvaises pensées : *Pensées* 31 (*PG* 40, ch. 65,
1240 A) et 6 (*PG* 79, ch. 7, 1208 C - 1209 A) (= *Lettre* 18); *Skemmata*
46. Tout ceci a été repris avec beaucoup de finesse par DOROTHÉE DE
GAZA, *Instr.* XII, 126 : «Évagre comparait l'homme rempli de passions et qui supplie Dieu de hâter sa mort, au malade qui demanderait

à un ouvrier de briser au plus vite son lit de douleur. Grâce à son corps en effet l'âme est distraite (περισπᾶται) et soulagée de ses passions : elle mange, boit, dort, elle s'entretient et se divertit avec ses amis. Mais quand elle est sortie du corps, la voilà seule avec ses passions, qui deviennent son perpétuel châtiment » (trad. Regnault et de Préville, SC 92). Nous ne savons si Évagre a forgé lui-même le verbe νοηματίζεσθαι ; le dictionnaire Liddell-Scott donne comme première attestation Eustathe de Thessalonique (xiie s.), et les copistes ont pour la plupart achoppé sur le mot, ce qui signifie qu'il leur était inconnu et qu'ils ne le comprenaient pas.

Lignes 18-21. Ce verset 11 de l'Ecclésiaste est également commenté en *Pensées* 16 (PG 79, ch. 17, 1220 B) : « Le Seigneur a remis les représentations de ce siècle (τὰ νοήματα τοῦ αἰῶνος τούτου) à l'homme, comme des brebis à un bon pasteur, car il est dit : ' Et il a donné le siècle à son cœur '. » Sur l'équivalence habituellement établie entre contemplation physique et royaume des cieux, voir la note d'A. et C. GUILLAUMONT à *Pratique* 2, p. 499-501, et pour le royaume intérieur évoqué en *Lc* 17, 21, les quatre textes suivants : *Lettre* 15 (p. 576, l. 3-4) : « ... la richesse spirituelle, c'est-à-dire le royaume des cieux qui est à l'intérieur de nous, selon la parole de Notre Sauveur, et qui est caché par les passions » ; scholie 6 bis *ad Ps.* 134, 12 = *KG* V, 30 : « Si le royaume des cieux est la contemplation des êtres et que celui-ci, selon la parole de Notre-Seigneur, ' est à l'intérieur de nous ', et si notre intérieur est occupé par les démons, c'est à bon droit donc qu'il est dit que les Philistins occupent la Terre Promise » (trad. du texte syriaque par A. Guillaumont) ; *Lettre sur la Trinité* 12, l. 11-13 : « Si en effet ' le royaume des cieux est à l'intérieur de vous ', et s'il n'y a autour de notre homme intérieur aucun endroit où puisse se constituer une contemplation, le royaume des cieux pourrait être une contemplation ». On remarquera que, dans toutes les références à ce passage de Luc (qui n'a pas de correspondant dans les autres synoptiques), Évagre substitue à l'expression de « royaume de Dieu » l'expression typiquement matthéenne de « royaume des cieux » (inconnue des trois autres évangélistes). Sur le datif d'agent après εὑρίσκεσθαι, voir F. BLASS et A. DEBRUNNER, *A Greek Grammar of the N.T.*, Chicago-Londres 1970[4], § 191.

Lignes 21-25. Évagre apprécie beaucoup cette tournure οὐδὲν οὕτω(ς) ... ὡς qui lui permet de ramasser de façon expressive une pensée ; cf. *KG* III, 64 : « Rien de tout ce qui est sur terre ne donne autant de plaisir que la science de Dieu » ; *Lettre* 4 (texte grec dans C. Guillaumont, « Fragments grecs », p. 220, l. 46) ; *Lettres* 32 et 36 (p. 588, l. 9 et p. 590, l. 12). On en trouve une dizaine d'exemples dans les *Scholies aux Psaumes*.

16. Τὸ ἀγαθὸν ποιοῦμεν διὰ τῆς εὐκαίρου χρήσεως τῶν ὑπὸ τοῦ θεοῦ δεδομένων ἡμῖν· οὕτω γὰρ καὶ πάντα καλὰ ἔσται ἐν καιρῷ αὐτοῦ καὶ «ἰδοὺ πάντα καλὰ λίαν[a]».

a. Gen. 1, 31

A ET ⏋ 2 τοῦ om. E ‖ γὰρ καὶ πάντα καλὰ : καὶ πάλιν τὰ καλὰ ET ‖ 3 αὐτῶν E ‖ πάντα : τὰ πάντα ET ‖ λίαν] + εὐφραίνεται δὲ ψυχὴ λογική, ὅταν ἐπὶ ταῖς κατ᾽ ἀρετὴν κατευθυνθείη θεοῦ προστάξεσιν ΕΤ.

Dans ἐν καιρῷ αὐτοῦ (v. 11[1] du lemme biblique et l. 3 de la scholie),

---

3, 14   < **ἔγνων ὅτι πάντα ὅσα ἐποίησεν ὁ θεός,**
αὐτὰ ἔσται εἰς τὸν αἰῶνα·
ἐπ᾽ αὐτῶν οὐκ ἔστιν προσθεῖναι,
καὶ ἀπ᾽ αὐτῶν οὐκ ἔστιν ἀφελεῖν,
καὶ ὁ θεὸς ἐποίησεν, ἵνα φοϐηθῶσιν ἀπὸ
προσώπου αὐτοῦ >

17. Εἰ «πάντα ὅσα ἐποίησεν ὁ θεὸς ἔσται εἰς τὸν αἰῶνα», τὴν δὲ κακίαν ὁ θεὸς οὐκ ἐποίησεν, οὐκ ἔσται ἄρα εἰς τὸν αἰῶνα ἡ κακία.

A ET ἄλλως E ⏋ 2 ὁ θεὸς om. E ‖ ἄρα ἔσται T ‖ 3 ἡ κακία om. A.

PROCOPE : Εἰ δὲ «πάντα ὅσα ἐποίησεν ὁ θεὸς ἔσται εἰς τὸν αἰῶνα», τὴν δὲ κακίαν ὁ θεὸς οὐκ ἐποίησεν, οὐκ ἔσται ἄρα εἰς τὸν αἰῶνα ἡ κακία.

Adest in N.

Lemme biblique. Pour le sens de l'expression φοβεῖσθαι ἀπὸ προσώ-

16. Nous faisons le bien par un usage opportun de ce qui nous a été donné par Dieu ; c'est de cette façon en effet que tout sera bon au moment qui est sien, et « voici que tout était très bon[a] ».

le pronom renvoie à Dieu qui est le sujet implicite du verbe ἔδωκεν dans le verset. Sur la notion stoïcienne de bon usage, voir *Skemmata* 15 (= *KG Suppl.* 16) ; schol. 1 *ad Ps.* 15, 2 ; *Disciples d'Évagre* 99 : « La vertu consiste à faire un usage raisonnable et conforme à la nature des choses indifférentes données par Dieu (τοῖς δεδομένοις ὑπὸ τοῦ θεοῦ μέσοις) ».

3, 14 *J'ai reconnu que tout ce que Dieu a fait,*
cela même sera pour toujours.
Il n'est pas possible d'y ajouter
et il n'est pas possible d'en retrancher,
et Dieu l'a fait afin que (les hommes) soient rem-
plis de crainte devant sa face

17. S'il est vrai que « tout ce que Dieu a fait sera pour toujours » et si Dieu n'a pas fait la malice, la malice ne sera donc pas pour toujours.

που, voir HARL-DORIVAL-MUNNICH, *La Bible grecque des Septante*, p. 239. On retrouve l'expression en *Eccl.* 8, 12-13.

L'idée selon laquelle Dieu ne saurait être tenu pour responsable du mal avait déjà été exprimée dans la scholie 4. Sur le caractère temporaire du mal, voir le texte célèbre : « Il y avait un temps où la malice n'existait pas et il y en aura un où elle n'existera plus », texte qui apparaît en cinq endroits différents de l'œuvre d'Évagre (voir scholie 62 *ad Prov.* 5, 14, texte et note).

18. Ἀπὸ τῆς πολυποικίλου σοφίας[a] οὐκ ἔστιν ἀφελεῖν καὶ ταύτῃ οὐκ ἔστι προσθεῖναι. Ἐποίησε δέ, φησίν, αὐτὴν ὁ θεὸς ἵνα οἱ ἄνθρωποι ἐφιέμενοι τῆς γνώσεως παύσωνται τῆς κακίας· «τῷ γὰρ φόβῳ κυρίου ἐκκλίνει πᾶς ἀπὸ κακοῦ[b].»

a. Cf. Éphés. 3, 10   b. Prov. 15, 27a

AB EHT ⌉ 1 τῆς : τοῦ E ‖ σοφίας]+ τοῦ θεοῦ H ‖ ἔστιν]+ φησιν E ‖ 2 δέ φησίν αὐτὴν : δὲ ταύτην φησίν H   οὖν αὐτὴν E   δὲ αὐτὴ A ‖ 3 ἵνα : ἵν' B ‖ παύσονται B T.

Cette sagesse est celle qui se manifeste dans la variété des êtres et

3, 15 < τὸ γενόμενον* ἤδη ἐστίν,
καὶ ὅσα τοῦ γίνεσθαι, ἤδη γέγονεν,
καὶ ὁ θεὸς ζητήσει τὸν διωκόμενον >

19. Εἰ «μακάριοι οἱ δεδιωγμένοι ἕνεκεν δικαιοσύνης, ὅτι αὐτῶν ἐστιν ἡ βασιλεία τῶν οὐρανῶν[a]», ἡ δὲ βασιλεία τῶν οὐρανῶν οἱ λόγοι τῶν γεγονότων καὶ γενησομένων αἰώνων εἰσί, μακάριοι ἄρα οἱ δεδιωγμένοι, ὅτι αὐτοὶ γνώσονται τὴν
5 θεωρίαν τῶν γεγονότων. Τοῦτον γὰρ λέγεται ζητεῖν ὁ θεὸς ὃν φωτίζει τῇ γνώσει καὶ τοῦτον μὴ ζητεῖν ὃν μὴ φωτίζει τῇ γνώσει· «ἐπλανήθην, φησὶν ὁ Δαυίδ, ὡς πρόβατον ἀπολωλός· ζήτησον τὸν δοῦλόν σου, ὅτι τὰς ἐντολάς σου οὐκ ἐπελαθόμην[b]»· καὶ γὰρ αὐτὸς ἦν διωκόμενος· «πολλοί,
10 φησίν, οἱ ἐκδιώκοντές με καὶ θλίβοντές με· ἐκ τῶν μαρτυρίων σου οὐκ ἐξέκλινα[c].»

a. Matth. 5, 10   b. Ps. 118, 176   c. Ps. 118, 157

AB EHT B : 8-11 ζήτησον — ἐξέκλινα desunt ⌉ 1 εἰ]+ δὲ ET ‖ 2-3 ἡ δὲ — τῶν οὐρανῶν om. B ‖ 3 καὶ]+ τῶν B ET ‖ γεννησομένων T ‖ αἰώνων om. A ET ‖ 4 ἐστί E ‖ 5 τοῦτον : τοῦτο B ‖ ὁ om. A ‖ 6-7 καὶ — γνώσει om. E ‖ 6 μὴ[2] : καὶ B ‖ 7 ἐπλανήθην : ἐπλανήθη AB   ἐπλανήθ HT ‖ ὁ om. B ‖ 9 πολλοί]+ γάρ E.

18. A la sagesse pleine de variété[a], il n'est pas possible de retrancher et il n'est pas possible d'ajouter. Dieu l'a faite, dit-il, afin que les hommes aspirent à la science et cessent de faire le mal, car «c'est par la crainte du Seigneur que chacun se détourne du mal[b]».

des mondes créés. La scholie 285 *ad Prov.* 30, 6 offre un texte parallèle dans lequel «la sagesse pleine de variété» est remplacée par la loi du Seigneur. Sur la place de la crainte de Dieu au début du processus spirituel et sur la référence à *Prov.* 15, 27a, voir la note à la scholie 113 *ad Prov.* 9, 13.

3, 15 *Ce qui s'est déjà produit est,*
et tout ce qui doit se produire s'est déjà produit,
et Dieu cherchera le persécuté

19. Si «ceux qui sont persécutés pour la justice sont bienheureux, parce que le royaume des cieux leur appartient[a]» et si les raisons des siècles produits et à venir sont le royaume des cieux, les persécutés seront donc bienheureux, parce qu'ils connaîtront la contemplation des êtres créés. Dieu est en effet dit chercher celui qu'il illumine par la science et ne pas chercher celui qu'il n'illumine pas par la science. David dit : «J'ai erré comme une brebis perdue ; cherche ton serviteur, car je n'ai pas oublié tes commandements[b]», et il était en effet persécuté : «Nombreux, dit-il, ceux qui me persécutent et m'oppressent ; je ne me suis pas détourné de tes témoignages[c].»

Lemme biblique. L'hébreu avait un neutre : «Et Dieu recherche ce qui fuit» (trad. Guillaumont, *Bibl. de la Pléiade*), là où la Septante a un masculin. De façon étonnante, JÉRÔME (p. 279, l. 238-241) adopte un masculin dans sa traduction latine, mais cite la Septante avec un neutre : *Hoc est enim quod ait :* « *Et Deus quaeret eum qui persecutionem patitur* »; *quod graece melius dicitur* καὶ ὁ θεὸς ζητήσει τὸ διωκόμενον, *id est quod praeteriit, quod expulsum est, quod esse cessauit* («C'est en effet ce qu'il dit : ' Et Dieu cherchera celui qui subit la persécution ', ce qui en grec est mieux exprimé : ' Et Dieu cherchera ce qui est poursuivi ', c'est-à-dire ce qui est passé, ce qui a été chassé, ce qui a cessé d'être»). L'adoption du masculin dans le texte grec habituel a fait perdre de

---

3, 18   < ἐκεῖ εἶπα ἐγὼ ἐν καρδίᾳ μου
περὶ λαλιᾶς υἱῶν τοῦ ἀνθρώπου
ὅτι διακρινεῖ αὐτοὺς ὁ θεός,
καὶ τοῦτο δεῖξαι ὅτι αὐτοὶ κτήνη εἰσίν >

20. Λαλιὰν νῦν τοῦ ἀνθρώπου τὸν βίον αὐτοῦ ὠνόμασεν, εἴγε περὶ παντὸς ἀργοῦ λόγου δώσομεν εὐθύνας ἐν ἡμέρᾳ κρίσεως [a], ἐν ᾗ καὶ οἱ καθαροὶ καὶ οἱ ἀκάθαρτοι φανεροῦνται.

a. Cf. Matth. 12, 36

A EHT   ἄλλως E   ⌐ 1 λαλιὰν]+ δὲ E ‖ τοῦ ἀνθρώπου τὸν βίον αὐτοῦ : τὸν τοῦ ἀνθρώπου βίον EHT ‖ 2 περὶ : παρὰ A ‖ 3 κρίσεως : τῆς κ. ET ‖ καὶ οἱ καθαροὶ : οἱ καθαροὶ E om. A.

Procope : Λαλιὰν νῦν τὸν ἀνθρώπινον βίον ὠνόμασεν.

NT[2] — ἄλλω(ς). Εὐαγρίου T[2].

3, 19   < καί γε αὐτοῖς συνάντημα υἱῶν τοῦ ἀνθρώπου
καὶ συνάντημα τοῦ κτήνους,
συνάντημα ἓν αὐτοῖς ·
ὡς ὁ θάνατος τούτου, οὕτως ὁ θάνατος
τούτου,
καὶ πνεῦμα ἓν τοῖς πᾶσιν ·
καὶ τί ἐπερίσσευσεν ὁ ἄνθρωπος παρὰ τὸ
κτῆνος ;
οὐδέν, ὅτι τὰ πάντα ματαιότης.

vue le sens originel du verset et orienté les commentateurs vers le
thème de la persécution.

Le «royaume des cieux» représente la contemplation naturelle :
voir la note à la scholie 15. Pour l'expression τῶν γεγονότων καὶ
γενησομένων αἰώνων, voir par ex. les scholies 20 *ad Ps.* 9, 37 et 5 *ad Ps.*
144, 13. Selon les vues origénistes, le retour des intellects déchus à la
condition initiale s'effectue à travers plusieurs «siècles».

3, 18 *Là j'ai dit, moi, dans mon coeur*
au sujet du bavardage des fils de l'homme :
Dieu rendra un jugement entre eux,
et cela, pour montrer qu'ils sont eux-mêmes du
bétail

20. Maintenant il a nommé «bavardage» de l'homme
son existence, s'il est vrai que pour chaque parole
oiseuse nous rendrons des comptes au jour du jugement[a], quand à la fois les purs et les impurs sont mani-
festés ouvertement.

Ignorant que l'expression περὶ λαλιᾶς traduisait une expression
hébraïque signifiant : «à propos de», «eu égard à» (Lys, p. 383),
Évagre donne au substantif son sens plein. Même parallèle scripturaire dans la *Catena Hauniensis* (III, 277-279) et chez Olympiodore
(*PG* 93, 521 A).

3, 19 *Pour eux, le sort des fils de l'homme*
et le sort du bétail
sont un sort unique pour eux;
la mort de l'un est comme la mort de l'autre,
et un unique esprit est à eux tous.
Quelle supériorité a l'homme sur le bétail?
Aucune, car tout est vanité.

20   τὰ πάντα πορεύεται εἰς τόπον ἕνα·
      τὰ πάντα ἐγένετο ἀπὸ τοῦ χοός,
      καὶ τὰ πάντα ἐπιστρέφει εἰς τὸν χοῦν·
21   καὶ τίς οἶδεν τὸ πνεῦμα υἱῶν τοῦ ἀνθρώπου
      εἰ ἀναβαίνει αὐτὸ εἰς ἄνω,
      καὶ πνεῦμα τοῦ κτήνους
      εἰ καταβαίνει αὐτὸ κάτω εἰς τὴν γῆν;
22   καὶ εἶδον ὅτι οὐκ ἔστιν ἀγαθὸν
      εἰ μὴ ὃ εὐφρανθήσεται ἄνθρωπος
      ἐν ποιήμασιν αὐτοῦ, ὅτι αὐτὸ μερὶς αὐτοῦ·
      ὅτι τίς ἄξει αὐτὸν τοῦ ἰδεῖν ἐν ᾧ ἐὰν γένηται
      μετ᾽ αὐτόν; >

21. Συνάντημα λέγει τὰ κοινῶς συμβαίνοντα πᾶσιν
ἀνθρώποις καὶ δικαίοις καὶ ἀδίκοις ἐν τῷ κόσμῳ τούτῳ, οἷον
ζωήν, θάνατον, νόσον, ὑγείαν, πλοῦτον, πενίαν, ἀποβολὰς
μελῶν, γυναικῶν, τέκνων, ὑπαρχόντων, ἀφ᾽ ὧν οὐκ ἔστι
5 διαγνῶναι πρὸ τῆς κρίσεως τὸν δίκαιον καὶ τὸν ἀσεβῆ.
Κοινὸν δὲ λέγει αὐτῶν καὶ τὸ ἀπὸ τοῦ χοὸς εἶναι καὶ τὸ
ἐπιστρέφειν πάλιν ἐπὶ τὸν χοῦν καὶ τὸ μίαν αὐτοὺς ἔχειν
ψυχὴν οὐ τῷ ἀριθμῷ, ἀλλὰ τῇ φύσει· «πνεῦμα γάρ, φησίν,
ἓν τοῖς πᾶσι.» Κτῆνος δὲ νῦν εἶπε τὸν ἄνθρωπον τὸν
10 γενόμενον ἐν τιμῇ καὶ μὴ συνιέντα, ἀλλὰ διὰ τῶν ἀλόγων
ἡδονῶν συμπαραβληθέντα τοῖς κτήνεσι τοῖς ἀνοήτοις καὶ
ὁμοιωθέντα αὐτοῖς [a]. Ἀλλ᾽ οὐδὲ δι᾽ ὧν ἐνεργοῦσιν οἱ δίκαιοι
καὶ οἱ ἄδικοι γνώριμοι σαφῶς ἔσονται πρὸ τῆς κρίσεως,

a. Cf. Ps. 48, 13 et 21

AB EHT   ἄλλως E   Βα(σιλείου) H   ἄλλω(ς) T   B :
1-17 συνάντημα — φησίν desunt   ⎤ 1 συναντήματα ET ‖ 2
καὶ[1] om. T ‖ καὶ δικαίοις καὶ ἀδίκοις post τούτῳ H ‖ 3 ζωήν] +
καὶ H ‖ νόσον] + καὶ H ‖ πλοῦτον] + καὶ H ‖ ἀποβολὴν H ‖ 4
ὧν οὐκ ἔστι : οὗ καὶ A ‖ 6 αὐτὸν A   αὐτοῦ E ‖ τοῦ : τε T ‖ 7
ἐπὶ : εἰς H om. T ‖ μίας T ‖ 8-9 φησὶν ἓν [ἐν A] τοῖς πᾶσι A H :
ἕν [T[sl]] φησι τοῖς πᾶσι ET ‖ 9 κτῆνος : κατὰ τίνος A ‖ νῦν om. T
‖ 10 μὴ om. T[tx] [rest. T[sl]] ‖ 11 τοῖς ἀνοήτοις om. T ‖ 12 δι᾽ ὧν :
δι᾽ ᾧ A ‖ οἱ om. ET ‖ 13 οἱ om. E.

20   *Tout va vers un lieu unique ;*
     tout est sorti de la poussière
     et tout retourne à la poussière.

21   *Et qui sait si l'esprit des fils de l'homme*
     monte lui-même vers le haut,
     et si l'esprit du bétail
     descend lui-même vers le bas, vers la terre ?

22   *Et j'ai vu qu'il n'y a de bien*
     que dans le fait que l'homme se réjouisse
     de ses oeuvres, car c'est sa part.
     Qui en effet le mènera voir ce qui peut se produire
                  après lui ?

21. Il appelle « sort » ce qui arrive en commun à tous les hommes en ce monde, aux justes comme aux injustes, par exemple vie, mort, maladie, santé, richesse, pauvreté, perte de membres, d'épouses, d'enfants, de biens ; ces choses ne permettent pas de distinguer avant le jugement entre le juste et l'impie. Il dit qu'ils ont en commun de sortir de la poussière et de retourner à nouveau à la poussière, d'avoir une âme unique, non pas selon le nombre, mais selon la nature, car il est dit qu'« un unique esprit est à eux tous ». Maintenant il a appelé « bétail » l'homme qui avait été tenu en honneur et n'a pas compris, mais a rivalisé par les plaisirs bestiaux avec les bêtes privées d'intelligence et leur a ressemblé[a]. Mais ce n'est pas non plus à leurs actes que les justes et les injustes seront clairement

πολλῶν ἀδίκων μεταβάντων ἐπὶ δικαιοσύνην καὶ ὑψωθέντων
15 καὶ πολλῶν δικαίων τῆς ἀρετῆς ἐκπεσόντων καὶ
ταπεινωθέντων. Τί οὖν τὸ περισσὸν εὗρον ἐν τούτοις ; νῦν,
οὐδέν, φησίν. Πάντα γὰρ ματαιότης πλὴν τῆς πνευματικῆς
εὐφροσύνης, ἥτις ἐπὶ τοῖς ποιήμασι καὶ ταῖς ἀρεταῖς τοῦ
ἀνθρώπου πέφυκεν γίνεσθαι · ταύτης γὰρ τῆς εὐφροσύνης ὁ
20 ἐκπεσὼν οὐκ ἐπανήξει πάλιν ἐνταῦθα ποιήσων τὰ
συντελοῦντα πρὸς κτῆσιν αὐτῆς.

15 τῆς ἀρετῆς : τῇ ἀρετῇ A ‖ ἐκπεσόντων τῆς ἀρετῆς Τ ‖ 16
εὗρεν A ‖ 17 γὰρ om. ET ‖ 19 γενέσθαι A ‖ εὐφροσυνησης A ‖
20-21 ποιήσων — πρὸς [+ τὴν Ε] κτῆσιν αὐτῆς AB ET : ἀλλ'
ἐκεῖ ἔσται διηνεκῶς εἰς ἀπείρους αἰῶνας Η.

Procope : Συνάντημα δὲ τὰ κοινῶς πᾶσι γινόμενα κατὰ τὸν παρόντα
βίον, ἀφ' ὧν οὐκ ἔστι διακρῖναι τὸν δίκαιον καὶ τὸν ἀσεβῆ · ἢ καὶ κτῆνος
ἔφη τὸν ἄνθρωπον τὸν ταῖς ἡδοναῖς δουλεύοντα. Ἕν δὲ πνεῦμα, φησίν,
ἀμφοτέρων, οὐ τῷ ἀριθμῷ, ἀλλὰ τῇ φύσει. Ἀλλ' οὐδὲ δι' ὧν ἐνεργοῦσιν οἱ
5 δίκαιοι καὶ οἱ ἄδικοι γνώριμοι σαφῶς ἔσονται πρὸ τῆς κρίσεως · νῦν οὖν τὸ
περισσὸν ἐν τούτοις οὐδέν. Πάντα δὲ ματαιότης πλὴν τῆς πνευματικῆς
εὐφροσύνης, ἥτις ἐπὶ τοῖς ποιήμασι καὶ ταῖς ἀρεταῖς τοῦ ἀνθρώπου πέφυκε
γίνεσθαι, ἧς ὁ ἐκπεσὼν οὐκ ἐπανήξει πάλιν ἐνταῦθα πρὸς ἐργασίαν αὐτῶν.

NT² — Εὐαγρίου Τ² (prius frag. usque ad 2 ἀσεβῆ) Εὐαγρίου Τ²
(alterum frag. ab 2 ἢ καὶ usque ad finem). — 1 συναντήματα Τ²
‖ κοινὰ Τ² ‖ 2 ἀσεβής Ν ‖ 5 οἱ om. Ν ‖ ἔσονται post κρίσεως Ν ‖
6 δὲ om. Τ².

Lemme biblique. Dans certains manuscrits les premiers mots du
lemme (καί γε αὐτοῖς) sont rattachés au verset 18.

---

22. Ὅτι καὶ ἡ ἄλογος ψυχὴ λέγεται πνεῦμα.

Adest in **A**.

reconnus avant le jugement, car un grand nombre d'injustes sont passés à la justice et ont été élevés, et un grand nombre de justes ont déchu de la vertu et ont été abaissés. «Quelle supériorité ai-je donc trouvé en eux?» Pour le moment, «aucune», dit-il. Tout est en effet vanité en dehors de la joie spirituelle qui se produit naturellement à propos des oeuvres et des vertus de l'homme. Car celui qui aura perdu cette joie ne reviendra pas en arrière ici-bas faire ce qui contribue à son acquisition.

Lignes 1-5. Seul le jugement mettra fin à l'apparent scandale du monde présent dans lequel justes et méchants semblent partager le même sort, en révélant l'état spirituel véritable de chacun : thème esquissé dans la scholie précédente et repris dans les scholies 38 et 67. Les différents συναντήματα énumérés obéissent, à une exception près, à une classification que l'on va retrouver dans la scholie 36 : il est d'abord question de ceux qui affectent le corps, ensuite de ceux qui affectent l'extérieur du corps ; on trouvera une liste identique de dommages extra-corporels dans la scholie 12 ter *ad Ps.* 9, 26 (traduite dans la note à la scholie 36).

Lignes 12-17. Ceci apporte un élément nouveau par rapport aux premières lignes de la scholie : même les actions humaines qui relèvent de la volonté, et non du sort, ne permettent pas ici-bas de faire une nette discrimination entre justes et injustes, car le monde présent est placé sous le signe du mouvement, et il se produit des rechutes comme des progrès.

Lignes 17-21. Sur la joie spirituelle, voir la scholie 9. Celui qui n'aura pas saisi ici-bas l'occasion de se convertir ne pourra après sa mort revenir en arrière pour échapper au châtiment purificateur. Comparer avec le thème de la mort prématurée évoqué dans la scholie 63.

---

22. (A noter) que même l'âme irrationnelle est appelée esprit.

Évagre reste fidèle à son interprétation du mot πνεῦμα : schol. 10.

4, 1   < καὶ ἐπέστρεψα ἐγὼ καὶ εἶδον
σὺν πάσας τὰς συκοφαντίας
τὰς γενομένας ὑπὸ τὸν ἥλιον·
καὶ ἰδοὺ δάκρυον τῶν συκοφαντουμένων,
καὶ οὐκ ἔστιν αὐτοῖς παρακαλῶν,
καὶ ἀπὸ χειρὸς συκοφαντούντων αὐτοὺς ἰσχύς,
καὶ οὐκ ἔστιν αὐτοῖς ὁ παρακαλῶν >

23. Συκοφαντίας λέγει τοὺς ἀντικειμένους ἡμῖν·
«ἔκδεξαι γάρ, φησί, τὸν δοῦλόν σου εἰς ἀγαθόν· μὴ συ-
κοφαντησάτωσάν με ὑπερήφανοι ᵃ»· καὶ πάλιν περὶ τοῦ
σωτῆρος Χριστοῦ φησι· «καὶ ταπεινώσει συκοφάντην καὶ
5 συμπαραμενεῖ τῷ ἡλίῳ ᵇ.» Οἱ δὲ συκοφαντούμενοι πρὸ τοῦ
Χριστοῦ ἦσαν οἱ ἄνθρωποι οἷς οὐχ ὑπῆρχεν ὁ παρακαλῶν,
ὁποῖος ἦν ὁ λέγων ταῦτα· «παρακαλῶ ὑμᾶς ἐγὼ ὁ δέσμιος
ἐν κυρίῳ ἀξίως περιπατῆσαι τῆς κλήσεως ἧς ἐκλήθητε, μετὰ
πάσης ταπεινοφροσύνης καὶ πραότητος, μετὰ μακροθυμίας,
10 ἀνεχόμενοι ἀλλήλων ἐν ἀγάπῃ ᶜ.»

a. Ps. 118, 122   b. Ps. 71, 4-5   c. Éphés. 4, 1-2

Α ΕΗΤ ⌐ 1 συκοφαντίαν Τ -φάντας Ε ‖ ἡμῖν] + συ-
κοφάντας δαίμονας ΕΤ ‖ 2 ἔκδεξαι γάρ φησί [φησί om. Ε] —
ἀγαθόν Α ΕΤ : om. Η ‖ μὴ : καὶ μὴ Α ‖ 2-3 συκοφάντησάν με Η
‖ 3 πάλιν om. Η ‖ 4 Χριστοῦ φησι om. Η ‖ φησι] + ὁ Δαυίδ Ε ‖
4-5 καὶ συμπαραμενεῖ τῷ ἡλίῳ om. Η ‖ 6 οἱ om. Η ‖ 7 ὁποῖος :
οἷος Η ‖ ταῦτα : αὐτοῖς ΕΤ om. Η ‖ ἐγὼ om. Ε ‖ 8-10 τῆς —
ἀγάπη om. Η.

Les mots συκοφάντης, συκοφαντία, συκοφαντεῖν sont systématique-
ment rapportés au diable ou aux démons : schol. 24 et 25 *ad Eccl.* 4,
2-4 et schol. 245 *ad Prov.* 22, 16 (avec les autres références données en
note). Il n'est pas toujours facile de déterminer le sens précis des mots
de cette famille : plus que de calomnie, il s'agit d'oppression, d'es-
croquerie et d'extorsion. Sur les équivalents grecs utilisés par les Septante pour traduire l'idée d'oppression, voir J. PONS, *L'oppression
dans l'Ancien Testament*, Paris 1981, p. 146-147 (à propos de συ-

4, 1   *Moi, je me suis retourné et j'ai vu*
             toutes les oppressions
             qui se sont produites sous le soleil,
             et voici les larmes des opprimés,
             et ils n'ont personne pour les encourager ;
             et dans la main de leurs oppresseurs se trouve la
                                                        force,
             et ils n'ont personne pour les encourager

23. Il appelle « oppressions » nos adversaires, car il est
dit : « Reçois ton serviteur comme un homme de bien ;
que les orgueilleux ne m'oppriment pas [a] » ; et encore, à
propos du Christ Sauveur : « Et il abaissera l'oppresseur
et il restera aussi longtemps que le soleil [b]. » Ceux qui
étaient opprimés avant (la venue) du Christ étaient les
hommes à qui manquait pour les encourager un homme
tel que celui qui disait : « Je vous encourage, moi le pri-
sonnier dans le Seigneur, à marcher d'une façon digne
de l'appel que vous avez reçu, en toute humilité et dou-
ceur, avec longanimité, vous supportant les uns les
autres dans la charité [c]. »

κοφαντεῖν). Le verbe παρακαλεῖν qui est ici opposé à συκοφαντεῖν nous
ramène cependant, dans une certaine mesure, au domaine judiciaire,
puisqu'il peut signifier « défendre », « se faire l'avocat de » ; notre traduction par « encourager » a été déterminée par la nécessité de rendre
par un seul terme français les divers emplois du mot dans la scholie.
Évagre développe à plusieurs reprises l'idée selon laquelle la venue du
Christ a renversé le rapport de force qui existait entre les hommes et
les démons ; voir notamment la scholie 11 *ad Ps.* 17, 18 : « Par là nous
apprenons qu'avant la venue (πρὸ τῆς ἐπιδημίας) du Sauveur les
démons étaient plus forts que nous, mais que maintenant nous
sommes devenus plus forts qu'eux, car le Seigneur nous a donné ' de
marcher sur les serpents et les scorpions et sur toute la puissance de
l'Ennemi ' (*Lc* 10, 19) » (*Vaticanus gr. 754*, f. 64[v] : collation M.-J. Rondeau).

4, 2 < καὶ ἐπήνεσα ἐγὼ σὺν τοὺς τεθνηκότας,
τοὺς ἤδη ἀποθανόντας, ὑπὲρ τοὺς ζῶντας,
ὅσοι αὐτοὶ ζῶσιν ἕως τοῦ νῦν·

3 καὶ ἀγαθὸς ὑπὲρ τοὺς δύο τούτους
ὅστις οὔπω ἐγένετο,
ὃς οὐκ εἶδεν σὺν τὸ ποίημα τὸ πονηρὸν
τὸ πεποιημένον ὑπὸ τὸν ἥλιον >

24. Καὶ ἐπήνεσα τοὺς ἤδη συναποθανόντας τῷ Χριστῷ [a]
καὶ ῥυσθέντας ἀπὸ τῶν συκοφαντούντων αὐτοὺς ὑπὲρ τοὺς
ζῶντας ἐν κακίᾳ καὶ ἐπιμένοντας αὐτῇ μέχρι τοῦ νῦν.
Ἀγαθὸς δὲ ὁ μήτε προσδεηθεὶς τοιούτου θανάτου
5 χωρίζοντος αὐτὸν ἀπὸ κακίας μήτε ἐν κακίᾳ γενόμενος, ὃς
οὐκ ἔγνω τὸν πονηρὸν κόπον τὸν ποιούμενον πρὸς τῶν συκοφαντούντων τοὺς ὑπὸ τὸν ἥλιον.

a. Cf. Rom. 6, 8; II Tim. 2, 11

A ΕΗΤ ⟧ 1 ἐπήνεσα] + φησί ΕΤ ‖ ἀποθανόντας ΕΗ ‖ τῷ
om. ΕΗΤ ‖ 2 καὶ om. Tᵗˣ [rest. Tᵐᵍ] ‖ 3 ἐπιμένοντας αὐτῇ [ἐπιμ.
κακίᾳ Α ἐπιμ. τῇ κακίᾳ Tᵐᵍ] μέχρι τοῦ νῦν Α ΗΤ : μέχρι τοῦ
νῦν αὐτῇ ἐπιμ. Ε ‖ 4 τοιούτου : τοῦ τ. Τ ‖ 5 κακίας vac. Ε ‖ 6
πρὸς : πρὸ Α παρὰ Ε ‖ τῶν : τὸν Τ ‖ 6-7 συκοφαντούντων] +
δαιμόνων Ε ‖ 7 τοὺς Α ΕΤˢˡ : τοῖς Η ‖ ἥλιον] + ἀνθρώπους Ε.

Évagre distingue ici trois catégories d'êtres : 1) les morts = ceux
qui sont morts avec le Christ et ont donc mis fin à leur malice, 2)
les vivants = ceux qui vivent dans la malice, 3) ceux qui ne sont
pas nés = ceux qui n'ont pas connu le mal. On trouvera une évocation de cette dernière catégorie dans la scholie 26 *ad Prov.* 2, 21 :
«Ceux qui sont demeurés sans malice sont restés sur cette terre, c'est-
à-dire dans la science, mais ceux qui en ont été chassés à cause de leur
malice y reviendront à nouveau en faisant le bien.» La scholie 2 *ad
Ps.* 142, 2 contient une opposition entre vivants et morts semblable à
celle qui se trouve ici : «Si ceux qui meurent avec le Christ sont justifiés, ceux qui mènent une vie contraire à cette mort ne sont donc pas
justifiés devant Dieu» (*Vaticanus gr. 754*, f. 342 : collation M.-J. Ron-

4, 2 *Et moi, j'ai loué les morts,*
       ceux qui sont déjà morts, plutôt que les vivants,
       tous ceux qui vivent jusqu'à présent;
    3 *et meilleur que ces deux-là*
       celui qui n'a pas encore été,
       qui n'a pas vu l'oeuvre mauvaise
       qui s'est faite sous le soleil

24. Et j'ai loué ceux qui sont déjà morts avec le
Christ[a] et ont été délivrés de leurs oppresseurs plutôt
que ceux qui vivent dans le mal et y persistent jusqu'à
présent. Meilleur, celui qui n'a pas eu besoin d'une telle
mort pour le séparer du mal et n'a pas été dans le mal,
qui n'a pas connu la peine mauvaise déployée par les
oppresseurs de ceux qui sont sous le soleil.

deau). Tout ceci rappelle le commentaire d'ORIGÈNE sur *Nombr.* 12,
12, passage dans lequel Aaron implore Moïse en faveur de Marie la
lépreuse : «Qu'elle ne devienne pas semblable à la mort et pareille à
l'avorton expulsé du sein maternel.» L'exégète se livre alors à une
digression sur le sens du mot avorton, dans laquelle il cite plusieurs
parallèles de l'Ecclésiaste (*Eccl.* 4, 2-3; 6, 3-4; 7, 1) et établit une
distinction entre quatre catégories d'êtres : 1) les vivants = ceux qui
vivent dans la vanité, c'est-à-dire selon la chair, dans les erreurs et les
voluptés du monde,   2) les morts = ceux qui sont morts avec le
Christ,   3) les avortons = ceux qui sont venus en ce monde mais
ne se sont pas attachés aux vanités de cette vie,   4) ceux qui ne
sont pas nés = les âmes préexistantes qui n'ont pas été incarnées
(*Hom. sur les Nombres* VII, 3, trad. Méhat, *SC* 29). Chez Évagre,
«ceux qui ne sont pas nés» peuvent aussi bien représenter les êtres
premiers, antérieurs à la chute, que les anges qui lui sont postérieurs.
Évagre cite toujours *Rom.* 6, 8 avec la leçon συναπεθάνομεν τῷ Χριστῷ
alors que le texte habituel a ἀπεθάνομεν σὺν Χριστῷ : *Pensées* 38 (*PG*
79, ch. 18, 1221 B); schol. 218 *ad Prov.* 20, 24; schol. 2 *ad Ps.* 142, 2.
Le mot ἔγνω (l. 6) montre qu'il lisait dans le verset 3 οἶδεν à la place
de εἶδεν (erreur due à l'iotacisme).

4, 4 < καὶ εἶδον ἐγὼ σὺν πάντα* τὸν μόχθον
καὶ σὺν πᾶσαν ἀνδρείαν τοῦ ποιήματος
ὅτι αὐτὸ ζῆλος ἀνδρὸς ἀπὸ τοῦ ἑταίρου*
αὐτοῦ ·
καί γε τοῦτο ματαιότης καὶ προαίρεσις πνεύματος >

25. Εἶδον, φησίν, πᾶσαν κακίαν καὶ τὸν ἀνδριζόμενον ἐν
αὐτῇ πονηρόν · τοῦτον γὰρ καὶ λέγει ἀνδρεῖον ἐν ἀσεβείαις
συκοφαντοῦντα πτωχοὺς[a] καὶ πάλιν ποίημα ὡς «πεποιημένον ἐγκαταπαίζεσθαι ὑπὸ τῶν ἀγγέλων» τοῦ θεοῦ[b]. Εἶδον
5 καὶ πᾶσαν αὐτοῦ τὴν ζηλοτυπίαν ἣν κέκτηται πρὸς τοὺς
ἀνθρώπους, ματαίαν οὖσαν καὶ πληροφοροῦσαν τὴν καρδίαν
αὐτοῦ[c] · δεῖ γὰρ τὸν θεὸν πάντως γενέσθαι τὰ πάντα ἐν πᾶσι[d] καὶ τοῦ Χριστοῦ πληρωθῆναι τὴν εὐχὴν τὴν λέγουσαν ·
«δὸς αὐτοῖς ἵνα καὶ αὐτοὶ ἐν ἡμῖν ὦσιν ἕν, καθὼς κἀγὼ καὶ
10 σὺ ἕν ἐσμεν, πάτερ[e].»

a. Cf. Prov. 28, 3   b. Job 40, 19 ; 41, 25   c. Cf. Eccl.
8, 11   d. Cf. I Cor. 15, 28   e. Cf. Jn 17, 21-22

A EHT ἄλλως E   ⅂ 1 φησίν A H[sl] T : om. E ‖ 2 αὐτῇ :
ταύτῃ E ‖ τοῦτο E ‖ λέγει καὶ T ‖ 3 πτωχοῖς A ‖ ὡς : ᾧ H ‖ 4
τὸν ἄγγελον T ‖ 7 τὸν θεὸν πάντως om. ET ‖ 8 τοῦ Χριστοῦ τὴν
εὐχὴν πληρωθῆναι E   πληρωθῆναι τοῦ Χριστοῦ τὴν εὐχὴν T ‖ 9
δὸς] + καὶ A ‖ ἐν ἡμῖν om. ET ‖ ἓν ὦσιν ET ‖ 10 ἐσμεν ἕν E ‖
πάτερ om. H.

Lignes 1-4. On a ici une interprétation négative de la virilité : c'est
la pleine maturité dans le mal qui caractérise le diable. A propos de
l'allusion à *Prov.* 28, 3, voir la scholie 342 *ad Prov.* qui commente ce
verset. La « bête » de *Job* 40, 15-24 et le Léviathan de *Job* 40, 25 - 41,

4, 5 < ἄφρων περιέλαβεν τὰς χεῖρας αὐτοῦ
καὶ ἔφαγεν τὰς σάρκας αὐτοῦ >

4, 4 *Et moi, j'ai vu que toute la fatigue*
et toute la force virile de la créature,
c'est jalousie de l'homme envers son compagnon;
et cela aussi est vanité et choix de l'esprit

25. J'ai vu, dit-il, toute la malice, et le Malin qui y
développe sa force virile; car celui-ci, il l'appelle aussi
viril en impiétés, opprimant les pauvres[a], et encore
«créature», parce qu'«il a été créé pour être la risée des
anges» de Dieu[b]. J'ai vu aussi toute la jalousie qu'il
possède à l'égard des hommes, jalousie qui est vaine et
qui donne de l'assurance à son coeur[c], car il faut que
Dieu, assurément, soit tout en tous[d] et que soit
accomplie cette prière du Christ : «Donne-leur d'être,
eux aussi, un en nous, comme toi et moi sommes un,
Père[e].»

26 sont considérés, au moins depuis Origène, comme des figures du
diable. Cf. *KG* VI, 36 : «'Celui qui a été créé pour être la risée des
anges' de Dieu, ne serait-ce pas celui qui a eu l'initiative du mouvement, et au début a franchi les frontières de la malice et, à cause de
cela, a été appelé 'le commencement des créatures du Seigneur'
(*Job* 40, 19)?» (trad. A. Guillaumont); dans la *Lettre* 27 (p. 582, l. 30),
Évagre demande à ne pas être soumis au dragon maudit qui est la
risée des saints anges.

Lignes 4-10. La jalousie du diable qui ne veut pas que les hommes
soient sauvés sera vaine, car elle n'empêchera pas à la fin des temps le
salut de tous. Noter le choc des mots : πάντως, πάντα, πᾶσι. La citation de *Jn* 17, 21-22 se présente toujours chez Évagre, sous cette
forme particulière, plus concise que dans l'Évangile : schol. 18 *ad Ps.*
88, 37-38 ; 5 *ad Ps.* 144, 13 ; *Lettre sur la Trinité* 7, l. 53-54 ; *Lettre à
Mélanie* (Frankenberg, p. 616, l. 21-22), où elle est également associée
à *I Cor.* 15, 28.

4, 5 *L'insensé s'est enveloppé les mains*
et a mangé ses chairs

26. Εἰ αἱ χεῖρες πρακτικῆς ἐργασίας εἰσὶ σύμβολον, πᾶς μὴ ἐργαζόμενος δικαιοσύνην περιλαμβάνει τὰς χεῖρας αὐτοῦ · διόπερ καὶ ὁ τοιοῦτος, φησί, κατεσθίει τὰς σάρκας αὐτοῦ, τῶν ἐκ τῆς σαρκὸς φυομένων κακῶν ἐμπιπλάμενος.

A EHT   ἄλλως E   ἄλλω(ς) T   ⌐ 1 εἰ om. E ‖ ἐργασίας om. HT ‖ σύμβολον] + δικαιοσύνης T ‖ πᾶς : πῶς E ‖ 2 μὴ : ὁ μὴ T   ὁ μηδὲ E ‖ 3 τοιούτους T ‖ φησί om. E ‖ 4 τῶν ἐκ τῆς σαρκὸς om. Tᵗˣ [rest. τῶν ἐκ τῆς σ. αὐτοῦ Tᵐᵍ] ‖ φυομένων] + αὐτοῦ E.

Procope : Καὶ τῶν ἐκ τῆς σαρκὸς αὐτοῦ φυομένων κακῶν ἐμπιπλά-μενος.

KMNT² − Εὐαγρίου apud text. praec. in KM   ὁμ(οίου) apud schol. in K. − 1 ἑαυτοῦ NT².

Sur le symbolisme des mains, voir la scholie 203 *ad Prov.* 19, 24 («Celui qui cache dans son sein ses mains injustement, ne les portera pas non plus à sa bouche») : «... Les vertus pratiques correspondent

---

4, 6 **< ἀγαθὸν πλήρωμα δρακὸς ἀναπαύσεως ὑπὲρ πληρώματα δύο δρακῶν μόχθου καὶ προαιρέσεως πνεύματος >**

27. Ἡ προαίρεσις τοῦ πνεύματος ὡς θέλημα ψυχικὸν ἐμπαθὲς εἶναί μοι δοκεῖ · ὅθεν καὶ προτιμᾶται ἡ ἀγαθὴ δρὰξ τῆς ἀρετῆς τῶν δύο δρακῶν τῆς κακίας καὶ τῆς ἀγνωσίας καὶ τῆς προαιρέσεως τοῦ πνεύματος. Τοιοῦτόν ἐστι καὶ τὸ 5 «κρεῖσσον ὀλίγον τῷ δικαίῳ ὑπὲρ πλοῦτον ἁμαρτωλῶν

AB EHT   ἄλλο(ς) H   ἄλλω(ς) T   B : 7-15 ὅμοιον − σοφίας desunt   ⌐ 1 τοῦ πνεύματος προαίρεσις T ‖ 2 δοκεῖ μοι T ‖ ὅθεν καὶ προτιμᾶται : διὰ τί τοῦτο προτετίμηται T ‖ 2-3 ἡ τῆς ἀρετῆς ἀγαθὴ δρὰξ T ‖ 4 τοῦ πνεύματος om. T ‖ ἐστι om. E ‖ καὶ om. Tᵗˣ [rest. Tˢˡ] ‖ 5 τῷ δικαίῳ ὀλίγον B.

26. Si les mains sont un symbole de l'activité pratique, quiconque n'accomplit pas la justice s'enveloppe les mains. Voilà pourquoi cet individu, dit-il, dévore ses chairs, se rassasiant des maux qui naissent de la chair.

aux mains, ce sont elles qui présentent à notre bouche le pain descendu des cieux pour donner la vie au monde.» Même symbolisme chez Clément d'Alexandrie, *Strom.* II, 98, 1 ; Dorothée de Gaza, *Instr.* I, 15 (*SC* 92, l. 7-8) et XIV, 154 (l. 43-44). Le rapprochement entre ce verset de l'Ecclésiaste et *Prov.* 19, 24 est fait par Didyme (p. 272, l. 33-35) et Jérôme (p. 285, l. 57-58). Commentaire identique, en termes pauliniens, de l'expression «manger les chairs» dans la scholie 4 *ad Ps.* 3, 8 : «... Se servant souvent des mauvaises pensées comme de dents, les adversaires s'approchent de nous pour manger nos chairs, c'est-à-dire ce qui naît de la chair (τὰ ἐκ τῆς σαρκὸς φυόμενα)», et dans la scholie 1 *ad Ps.* 26, 2 : «... Ou bien les démons sont dits manger nos chairs, au lieu de : ce qui naît de la chair ; car il est dit que 'les œuvres de la chair sont évidentes, etc.' (*Gal.* 5, 19-20)» (*Vaticanus gr. 754*, f. 40ᵛ et 82ᵛ : collation M.-J. Rondeau).

4, 6 *Mieux vaut le plein d'une poignée de repos*
que les pleins de deux poignées de fatigue
et du choix de l'esprit

27. Le choix de l'esprit me semble passionné en tant que volonté psychique. De là vient que la bonne poignée de vertu est préférée aux deux poignées de la malice et de l'ignorance et au choix de l'esprit. Tel est aussi le sens des versets : «Mieux vaut peu pour le juste

πολὺν ᵃ» καὶ τὸ «κρεῖσσον ὀλίγη λῆψις μετὰ δικαιοσύνης ἢ
πολλὰ γενήματα μετὰ ἀδικίας ᵇ». Ὅμοιον τούτοις καὶ τὸ
«ἐξελεξάμην παραρριπτεῖσθαι ἐν τῷ οἴκῳ τοῦ θεοῦ μου
μᾶλλον ἢ οἰκεῖν με ἐν σκηνώμασιν ἁμαρτωλῶν ᶜ» καὶ τὸ
10 «κρεῖσσον οἰκεῖν ἐπὶ γωνίας δώματος ἢ μετὰ γυναικὸς
λοιδόρου ἐν οἰκίᾳ κοινῇ ᵈ». Ἀκολουθήσει δὲ τούτοις καὶ τὸ
«κρεῖσσον ξενισμὸς λαχάνων πρὸς φιλίαν καὶ χάριν ἢ
παράθεσις μόσχων μετὰ ἔχθρας ᵉ», ὡσεὶ ἔλεγέ τις · κρεῖσσον
μαθεῖν θεώρημα ἓν πνευματικὸν ἢ πλῆθος θεωρημάτων τῆς
15 μωρανθείσης σοφίας ᶠ.

a. Ps. 36, 16   b. Prov. 15, 29a   c. Ps. 83, 11
d. Prov. 25, 24   e. Prov. 15, 17   f. Cf. I Cor. 1, 20 ; 3, 19

6 πολὺν : πολὴν T   πολὺ B om. H ‖ τὸ om. B ‖ λεῖψις A ‖ 7
γεννήματα H ‖ ὅμοιον τούτοις om. H ‖ 8 παραρριπτεῖσθαι
scripsi : παραριπ. A EHT ‖ 9 ἢ — ἁμαρτωλῶν om. H ‖ 9-11 καὶ
τὸ — κοινῇ om. ET ‖ 10 οἰκεῖν H : οἰκία A ‖ γωνίας δώματος
H : γωνίαις δόματος A ‖ 11 ἀκολουθήσει δὲ τούτοις : οἷς
ἀκολουθήσει H om. ET ‖ 13 μόσχου H ‖ ὡσεὶ : ὡς A ‖ 14 ἓν
θεώρημα ET ‖ τῆς om. HT.

PROCOPE : Ἡ προαίρεσις δὲ τοῦ πνεύματος ὡς θέλημα ψυχικὸν ἐμπαθὲς εἶναί μοι δοκεῖ · ὅθεν καὶ προτιμᾶται ἡ ἀγαθὴ δρὰξ τῆς ἀρετῆς τῶν
δύο δρακῶν τῆς κακίας καὶ τῆς ἀγνωσίας καὶ τῆς προαιρέσεως τοῦ πνεύματος.

NT² v. notam — Εὐαγρί(ου) T². — 1 δὲ om. T² ‖ 3 καὶ τῆς
ἀγνωσίας om. T² ‖ 3-4 τοῦ πνεύματος om. N.

Apparat critique. Les mss KM de Procope donnent la citation de
Ps. 36, 16 sous une forme isolée, mais il ne semble pas qu'elle ait été
extraite de la scholie d'Évagre. Le rapprochement entre le verset de
l'Ecclésiaste et celui du Psaume a été fait par plusieurs commentateurs : JÉRÔME (p. 285-286) ; OLYMPIODORE (*PG* 93, 528 C).

Lignes 1-4. Cf. schol. 10. L'expression «volonté psychique» est
d'inspiration paulinienne : la volonté de l'âme s'oppose à la volonté

plutôt que l'abondante richesse des pécheurs[a]», et : «Mieux vaut recevoir peu avec justice que recevoir beaucoup de produits avec injustice[b]». Également semblables les versets : «J'ai choisi d'être rejeté dans la maison de mon Dieu plutôt que d'habiter dans les campements des pécheurs[c]», et : «Mieux vaut habiter sur un coin de terrasse plutôt qu'avec une femme injurieuse dans une maison commune[d]». A la suite de ces textes (on citera) aussi celui-ci : «Mieux vaut une hospitalité avec des légumes pour manifester son amitié et sa bienveillance plutôt qu'une table garnie de veaux accompagnée d'inimitié[e]»; c'est comme si on disait : Mieux vaut apprendre une seule contemplation spirituelle plutôt qu'un grand nombre de contemplations de la sagesse qui a été frappée de folie[f].

de Dieu ; cf. schol. 50 (τοῖς θελήμασι τῆς ψυχῆς). On se souviendra de la place qu'occupe le renoncement à la volonté propre dans la spiritualité basilienne.

Lignes 4-15. Succession de citations scripturaires accordant la préférence au peu et à la singularité sur l'abondance et la multiplicité (ces dernières étant considérées de façon péjorative); certaines citations seront reprises dans la scholie 35. Cette suite de *testimonia* bibliques se termine par une sentence dont on retrouve la teneur dans la scholie 12 *ad Ps.* 36, 16 : «Mieux vaut un peu de science spirituelle que l'abondance de la sagesse des nations», et dans la scholie 6 bis *ad Ps.* 83, 8 : «Après avoir comparé la science des sages païens avec celle de Dieu, il montre qu'une 'petite part venant du Seigneur vaut mieux que ces trésors (conservés) sans la crainte, dont parle Salomon (cf. *Prov.* 15, 16)'; et un peu plus loin le même dit : 'J'ai choisi d'être rejeté dans la maison de mon Dieu plutôt que d'habiter dans les campements des pécheurs' (*Ps.* 83, 11)» (*Vaticanus gr. 754*, f. 106 et 212ᵛ : collation M.-J. Rondeau). Cette façon de désigner la sagesse profane s'inspire des textes de *I Cor.* 1, 20 : «Est-ce que Dieu n'a pas frappé de folie (ἐμώρανεν) la sagesse du monde ?», et de *I Cor.* 3, 19 : «Car la sagesse de ce monde est folie auprès de Dieu»; voir aussi schol. 84 *ad Prov.* 6, 30-31.

4, 8   <ἔστιν εἷς· καὶ οὐκ ἔστιν δεύτερος,
καί γε υἱὸς καί γε ἀδελφὸς οὐκ ἔστιν αὐτῷ·
καὶ οὐκ ἔστιν περασμὸς* τῷ παντὶ μόχθῳ
αὐτοῦ,
καί γε ὀφθαλμὸς αὐτοῦ οὐκ ἐμπίπλαται
πλούτου.
καὶ τίνι ἐγὼ μοχθῶ
καὶ στερίσκω τὴν ψυχήν μου ἀπὸ ἀγαθωσύνης;
καί γε τοῦτο ματαιότης
καὶ περισπασμὸς* πονηρός ἐστιν>

28. Εἴ τις οὐκ ἔχει ἀδελφόν, οὗτος υἱοθεσίας οὐκ εἴληφε
πνεῦμα[a], καὶ εἴ τις οὐκ ἔστι πατήρ, οὗτός ἐστι πονηρός· «οὐ
γὰρ μὴ γένηται, φησίν, ἔγγονα πονηροῖς[b].» Εἰκότως δὲ ὁ
τοιοῦτος οὐδ' ἐμπίπλαται κακίας στερίσκων τὴν ἑαυτοῦ
5 ψυχὴν ἀπὸ γνώσεως θεοῦ. Πατέρα δὲ ἐνταῦθα λέγω καὶ
ἀδελφὸν κατὰ τὴν ἔννοιαν τῆς γραφῆς· οὐ γὰρ ἀγνοῶ τὰς
τεθείσας προτάσεις ὡς οὐκ ἀληθεύουσιν ἐπὶ τῶν αἰσθητῶν
ἀδελφῶν καὶ πατέρων τιθέμεναι. Εἰ δέ τις βούλοιτο καὶ τὴν
ψιλὴν ἔννοιαν τούτων τῶν ῥητῶν ἐκλαβεῖν, πάνυ καταγνώ-
10 σεται τῶν ἀτέκνων πλουσίων καὶ σπουδαζόντων ἑαυτοῖς ἐκ-
πορίζειν πλῆθος χρημάτων, μάλιστα εἰ καὶ δυσπρόσιτοι εἶεν

a. Cf. Rom. 8, 15   b. Prov. 24, 20

A EHT   H : 11-13 χρημάτων — λεγόμενα desunt   ⌐ 1
τις] + δὲ αὐτὸν T ‖ ἔχει] + αὐτὸν E ‖ 1-2 οὗτος [+ τῆς T]
υἱοθεσίας οὐκ εἴληφε πνεῦμα A HT : οὐκ εἴλ. πν. ὁ τοιοῦτος υἱοθ.
E ‖ 2 ἔστι πατήρ : ἔχει πνεῦμα T ‖ ἐστι² : ἔσται A ‖ 3 ἔγγονα :
ἔκγονα T ‖ 4 οὐδ' : οὐδὲ ET ‖ 5 θεοῦ γνώσεως E ‖ πατέρα :
πνεῦμα E ‖ ἐνταῦθα] + ὡς [om. E] προέφημεν ET ‖ λέγω] +
τὸν θεὸν ET ‖ 6 ἀδελφὸν] + τὸν υἱὸν αὐτοῦ τὸν μονογενῆ τὸν
σαρκωθέντα ET ‖ 7 τὸν αἰσθητὸν T ‖ 8 τιθέμενα A   τιθέμεν E ‖
9 ψιλὴν : ψυχὴν T ‖ τούτων — ἐκλαβεῖν om. H ‖ 10-11 εὐπορί-
ζειν T ‖ 11 χρημάτων] + καὶ ἀκορέστως περὶ τὸν πλοῦτον διακει-
μένων καὶ ὀφθαλμὸν ἐχόντων διάκενον καὶ ἄπληστον E ‖ μάλι-
στα] + δὲ E.

4, 8   *Il est seul et n'a pas de second,*
et il n'a ni fils ni frère ;
et il n'y a pas de limite à toute sa fatigue,
et son oeil ne se rassasie pas de richesse.
Et pour qui est-ce que je me fatigue
et prive mon âme de bonheur ?
Et cela aussi est vanité
et occupation mauvaise

28. Si quelqu'un n'a pas de frère, c'est qu'il n'a pas reçu l'esprit de filiation adoptive [a], et si quelqu'un n'est pas père, c'est qu'il est mauvais, car il est dit que « les mauvais n'auront pas de postérité [b] ». Il est normal qu'un tel individu ne se rassasie pas non plus de malice quand il prive son âme de la science de Dieu. Je parle ici de père et de frère selon la pensée (spirituelle) de l'Écriture, car je n'ignore pas que les propositions avancées ne sont pas valables si on les applique aux frères et aux pères sensibles. Si quelqu'un veut aussi saisir la pensée simple de ces versets, il condamnera absolument les riches sans enfants qui s'efforcent de se procurer pour eux abondance de biens, surtout s'ils sont aussi

τοῖς φίλοις · ἀληθεύει γὰρ πάνυ τὰ ῥήματα ταῦτα κατὰ τῶν
ἀνθρώπων λεγόμενα.

12 ἀληθεύσει E ‖ πάνυ τὰ ῥήματα : πάντως τὰ ῥ. πάνυ E ‖ 12-13
τῶν ἀνθρώπων : τῶν τοιούτων ἀνθ. T τῶν υἱῶν τῶν ἀνθ. τῶν
τοιούτων E.

PROCOPE : Εἴ τις οὐκ εἴληφεν ἀδελφόν, υἱοθεσίας οὐκ εἴληφε πνεῦμα ·
καὶ ὁ μὴ ὢν πατήρ, οὗτός ἐστι πονηρός · «οὐ γὰρ μὴ γένηται, φησίν,
ἔκγονα πονηροῖς[b]» · ὅθεν οὐκ ἐμπίπλαται κακίας, τῆς τοῦ θεοῦ γνώσεως
ἀποστερῶν ἑαυτόν.

NT[2] — ἄλλω(ς). Εὐαγρίου T[2]. — 2 πατήρ : πνεῦμα T[2] ‖ 3 οὐκ :
οὖν N.

Lignes 1-5. Interprétation spirituelle des relations de parenté. On
rapprochera le début de ce texte de la scholie 78 *ad Prov.* 6, 19 : «Les
frères sont ceux qui possèdent le charisme de filiation adoptive et
dépendent d'un même père, le Christ…», et de la scholie 8 *ad Ps.* 24,
16 : «Celui qui n'a pas reçu l'esprit de filiation adoptive et qui n'est
pas devenu le frère des saintes puissances et du Christ lui-même, qu'il
se dise fils unique et pauvre, parce qu'il est privé de la richesse de la

---

4, 11 <καί γε ἐὰν κοιμηθῶσιν οἱ δύο, καὶ θέρμη
αὐτοῖς ·

καὶ ὁ εἷς πῶς θερμανθῇ ;>

29. ῎Ανευ κυρίου οὐκ ἄν τις γένοιτο τῷ πνεύματι ζέων[a] ·
«ὁ γὰρ κύριος τὸ πνεῦμά ἐστιν[b].»

a. Cf. Act. 18, 25 ; Rom. 12, 11   b. II Cor. 3, 17

A EE²T   ⌐ 1 ἄνευ] + γὰρ T ‖ γένοιτο] + ὡς προείπομεν E².

d'un abord difficile pour leurs amis, car elles sont tout à fait valables, ces paroles, lorsqu'elles visent les hommes.

science» (*Vaticanus gr. 754*, f. 80 : collation M.-J. Rondeau). Ceux qui partagent la même science deviennent en effet frères ou amis les uns des autres (sur ce thème important, voir GÉHIN, *Scholies aux Proverbes*, Introd., p. 53-54). Pour l'identification du don de filiation adoptive avec le charisme de sagesse, le premier des dons de l'Esprit, voir schol. 101 *ad Prov.* 8, 10-11 et *KG* VI, 51. Sur le thème de la paternité spirituelle, voir schol. 273 *ad Prov.* 24, 20 : «Les méchants n'engendreront ni vertus ni doctrines droites — ce sont là les rejetons de l'âme —, parce qu'ils ne craignent pas le Seigneur, mais ceux qui sont tout le jour dans la crainte du Seigneur auront une postérité, et leur espoir ne s'évanouira pas.»

Lignes 5-13. Après avoir donné une interprétation spirituelle, Évagre montre que l'interprétation littérale du verset est également valide. On rencontre une attaque semblable contre les riches sans enfants dans la scholie 5 *ad Ps.* 38, 7 («Il thésaurise et ne sait pour qui il amassera cela») : «Il faut dire cela aux riches sans enfants qui cherchent à posséder davantage et qui n'ont pitié d'aucun pauvre» (*Vaticanus gr. 754*, f. 112 : collation M.-J. Rondeau).

4, 11   *Et s'ils couchent à deux, ils auront également chaud;*
et celui qui est seul, comment se réchauffera-t-il?

29. Sans le Seigneur on ne pourra être bouillant par l'esprit [a], «car le Seigneur est l'esprit [b]».

Symbolisme du chaud que l'on retrouve dans la scholie 7 *ad Ps.* 88, 13 (le vent du nord symbolise celui qui est froid dans la malice, le vent chaud du sud celui qui est bouillant par l'esprit) et dans les scholies 5 *ad Ps.* 107, 10 et 3 quater *ad Ps.* 126, 2. Le commentateur joue sur le double sens du mot πνεῦμα : la ferveur de l'homme est avivée par le souffle du Seigneur.

4, 12   < καὶ ἐὰν ἐπικραταιωθῇ ὁ εἷς,
οἱ δύο στήσονται κατέναντι αὐτοῦ,
καὶ τὸ σπαρτίον τὸ ἔντριτον οὐ ταχέως
ἀπορραγήσεται >

30. Ἐγὼ νομίζω τὸν ἐπικραταιούμενον ἕνα τὸν πονηρὸν
εἶναι οὗ κατέναντι ἵστανται οἱ δύο, ὅ τε ἄνθρωπος καὶ ὁ
ἄγγελος τοῦ θεοῦ, ἵνα τὸν διάβολον νικήσας ὁ ἄνθρωπος
καταξιωθῇ γνώσεως θεοῦ καὶ γένηται ἔντριτον σπαρτίον οὐ
5 ταχέως ἀπορρηγνύμενον. Ἔστι δὲ τοῦτο σαφῶς μαθεῖν καὶ
παρὰ τοῦ πατριάρχου Ἰακὼβ ὃς τοὺς παῖδας τοῦ Ἰωσὴφ
εὐλογῶν φησιν· «ὁ ἄγγελός μου ὁ ῥυόμενός με ἀπὸ πάντων
τῶν κακῶν, εὐλογήσαι τὰ παιδία ταῦτα [a].» Ὅμοιον τούτῳ
καὶ τὸ παρὰ τῷ Δαυὶδ κείμενον· «παρεμβαλεῖ ἄγγελος
10 κυρίου κύκλῳ τῶν φοβουμένων αὐτὸν καὶ ῥύσεται αὐτούς [b].»

a. Gen. 48, 16   b. Ps. 33, 8

A EHT   ⁊ 1-2 ἐγὼ νομίζω τὸν ... εἶναι : τὸν ... εἶναι λέγω ET
‖ 2 τε] + ὁ Ε ‖ ὁ om. T ‖ 5-7 ἔστι — φησιν : διὸ καὶ Ἰακώβ
φησιν Η ‖ 7 μου om. E ‖ 7-8 ἀπὸ — ταῦτα om. H ‖ 8 εὐλογῆσαι
A   εὐλόγησον Ε ‖ 8-9 ὅμοιον [+ δὲ ET] τούτῳ καὶ τὸ [τῷ E]
παρὰ τῷ Δαυὶδ κείμενον A ET : καὶ ὁ Δαυίδ Η ‖ 10 κύκλῳ —
αὐτούς om. H ‖ τὸν φοβούμενον T.

Lemme biblique. Le verbe ἐπικραταιοῦν est un hapax.

31. Σπαρτίον ἔντριτόν ἐστι νοῦς ἀπαθὴς πνευματικῆς
πληρούμενος γνώσεως ἢ νοῦς σοφὸς ἄγγελον θεοῦ παρεπόμενον ἔχων. Εὖ δὲ καὶ τὸ μὴ φάναι αὐτὸν «οὐκ ἀπορραγή-

A EHT   ἄλλως Ε   ἄλλο(ς) Η   Η : 2-5 ἢ — λογικὴ
desunt   ⁊ 2 σοφῶς T ‖ 3 καὶ om. ET ‖ τὸ μὴ [μὴ addidi]
φάναι αὐτὸν A : ἔφη ET ‖ 3-4 οὐκ — ἀπορραγήσεται[2] : ἀλλ᾽ οὐ
ταχέως ἀπορραγήσεται καὶ οὐκ ἔφη [οὐκ ἔφη : οὐκέτι T] ἁπλῶς
ἀπορραγήσεται ET.

4, 12   *Si celui qui est seul est devenu puissant,*
les deux se tiendront en face de lui,
et la corde triple ne se rompra pas rapidement

30. Je pense que le solitaire qui devient puissant est
le Malin, en face de qui se tiennent les deux, l'homme et
l'ange de Dieu, afin que l'homme soit, après sa victoire
sur le diable, digne de la science de Dieu et devienne
une corde triple qui ne se rompt pas rapidement. Il est
possible d'apprendre aussi cela clairement du patriarche
Jacob qui bénit les enfants de Joseph en ces termes :
« Que mon ange qui me délivre de tous les maux bénisse
ces petits enfants [a]. » Semblable à cela ce qui se trouve
chez David : « L'ange du Seigneur campera autour de
ceux qui le craignent et les délivrera [b]. »

Dans le combat qu'il mène contre les puissances adverses, l'homme
n'est pas seul, mais il est soutenu par les anges, et en particulier par
celui qui lui a été attribué dès la naissance (voir Géhin, *Scholies aux
Proverbes*, Introd., p. 47-48). Les deux textes bibliques cités ici
l'avaient déjà été dans la scholie 189 *ad Prov.* 19, 4 à l'appui de l'existence des anges gardiens. Dans *Antirrhétique* VIII, 3, Évagre conseille
de prononcer *Gen.* 48, 16 « contre la pensée blasphématoire qui renie
Dieu qui me nourrit et qui calomnie l'ange qui m'assiste ». Sur la
doctrine de l'ange gardien, voir J. Daniélou, *Les anges et leur mission
d'après les Pères de l'Église*, Chevetogne 1952, p. 92-112 (rééd. Paris
1990, p. 103-123).

31. La corde triple est l'intellect impassible rempli
de science spirituelle ; ou bien l'intellect sage qui a pour
compagnon l'ange de Dieu. Il a bien fait de ne pas dire :

σεται», ἀλλ᾽ «οὐ ταχέως ἀπορραγήσεται»· τρεπτὴ γάρ ἐστιν
5 ἡ φύσις ἡ λογική.

4-5 τρεπτὴ — λογική : ὡς τρεπτῆς οὔσης τῆς λογικῆς φύσεως
ΕΤ.

Procope : Ἡ σπαρτίον ἔντριτόν ἐστι νοῦς ἀπαθὴς πνευματικῆς
πληρούμενος γνώσεως ἢ νοῦς σοφὸς ἄγγελον θεοῦ παρεπόμενον ἔχων.

Adest in N.

4, 13   < ἀγαθὸς παῖς πένης καὶ σοφὸς
           ὑπὲρ βασιλέα πρεσβύτερον καὶ ἄφρονα
           ὃς οὐκ ἔγνω τοῦ προσέχειν ἔτι >

32. Παῖς ἐστιν ὁ τὴν ἐκ νεότητος διδασκαλίαν φυλάξας [a],
πρεσβύτερος δὲ ὁ καταλελοιπὼς τὴν διδασκαλίαν τὴν ἐκ
νεότητος καὶ τῆς θείας ἐπιλαθόμενος διαθήκης [b] καὶ
γεγηρακὼς τῇ κακίᾳ· καὶ ὁ μὲν πρότερός ἐστι τοῦ Χριστοῦ,
5 ὁ δὲ δεύτερος τοῦ πονηροῦ.

a. Cf. Prov. 2, 17   b. Cf. ibid.

A ΕΗΤ ἄλλως Ε   ἄλλο(ς) Η   Η : 4-5 καὶ — πονηροῦ
desunt   ⌐ 1 διδασκαλίαν φυλάξας : διδ. διαφυλάξας Α   πνευματικὴν διδ. φυλ. [φυλ. πν. διδ. Τ] τῇ δὲ κακίᾳ νηπιάζων ΕΤ ‖ 2
δὲ : δ᾽ ἐστιν Ε   ἐστιν Α om. Η ‖ καταλιπὼν Η ‖ 2-3 τὴν [om. Τ]
διδασκαλίαν τὴν ἐκ νεότητος Α ΕΤ : τὴν τοιαύτην διδ. Η ‖ 4 τῇ :
ἐν τῇ Η ‖ πρότερος] + ὅρος ΕΤ.

4, 14   < ὅτι ἐξ οἴκου τῶν δεσμίων* ἐξελεύσεται βασι-
                                                         λεῦσαι,
           ὅτι καί γε ἐν βασιλείᾳ αὐτοῦ ἐγεννήθη
                                                      πένης >

Elle ne se rompra pas, mais : «Elle ne se rompra pas rapidement», car la nature raisonnable est versatile.

Le début de ce texte rappelle la scholie 375 *ad Prov.* 31, 18, dans laquelle la «lampe» de la femme forte était considérée comme un symbole de «l'intellect pur rempli de contemplation spirituelle». Sur la versatilité propre à la nature humaine, voir aussi Didyme : ἐπεὶ τρεπτή ἐστιν ἡ φύσις τῶν ἀνθρώπων... (*ad Eccl.* 3, 18, p. 259, l. 34).

4, 13 *Mieux vaut un enfant pauvre et sage*
             plutôt qu'un roi vieux et insensé
             qui ne sait plus être attentif

32. L'enfant est celui qui a conservé l'enseignement de sa jeunesse[a], le vieillard celui qui a délaissé l'enseignement de sa jeunesse, oublié l'alliance divine[b] et vieilli en malice. Et le premier appartient au Christ, le second au Malin.

Cf. schol. 23 *ad Prov.* 2, 17 et 64 *ad Prov.* 5, 18. Selon le contexte, la vieillesse est interprétée de façon laudative ou de façon péjorative ; pour l'interprétation laudative, voir par ex. schol. 122 *ad Prov.* 10, 27 et schol. 12 *ad Ps.* 54, 24.

4, 14 *Car il sortira de la maison des prisonniers pour*
                                        régner,
             car (il arrive) aussi qu'il soit né pauvre dans son
                                        royaume

33. Οἶκος δεσμίων ἐστὶν ὁ κόσμος ὁ αἰσθητός, ἐν ᾧ «σειραῖς τῶν ἑαυτοῦ ἁμαρτιῶν ἕκαστος σφίγγεται[a]».

a. Prov. 5, 22

A EHT   32-33 concatenaverunt ET   ⌐ 1 οἶκος] + δὲ E ‖ δεσμῶν H ‖ ἐστὶν om. H ‖ κόσμος : οἶκος A H.

4, 17   <φύλαξον τὸν πόδα σου, ἐν ᾧ ἂν πορεύῃ
                    εἰς τὸν οἶκον τοῦ θεοῦ,
         καὶ ἐγγὺς τοῦ ἀκούειν ·
         ὑπὲρ δόμα τῶν ἀφρόνων θυσία σου,
         ὅτι οὐκ εἰσὶν εἰδότες τοῦ ποιῆσαι κακόν>

34. «Οὐκ οἴδασι πῶς προσκόπτουσιν[a]», μηδ' αὐτὸ τοῦτο εἰδότες ὅτι παρανομοῦσιν.

a. Prov. 4, 19

A ET   ἄλλω(ς) T   ⌐ 1 ante οὐκ add. οἱ γὰρ ἄφρονες ET ‖ προκόπτουσιν ET ‖ μηδ' : μηδὲ T ‖ τοῦτο om. ET.

5, 1   <μὴ σπεῦδε ἐπὶ στόματί σου,
         καὶ καρδία σου μὴ ταχυνέτω
         τοῦ ἐξενέγκαι λόγον πρὸ προσώπου τοῦ θεοῦ ·
         ὅτι ὁ θεὸς ἐν τῷ οὐρανῷ, καὶ σὺ ἐπὶ τῆς γῆς ·
         ἐπὶ τούτῳ ἔστωσαν οἱ λόγοι σου ὀλίγοι.
    2   ὅτι παραγίνεται ἐνύπνιον ἐν πλήθει πειρασμοῦ
         καὶ φωνὴ ἄφρονος ἐν πλήθει λόγων>

33. La maison des prisonniers est le monde sensible dans lequel «chacun est attaché par les chaînes de ses propres péchés [a]».

Cf. schol. 25 *ad Ps.* 118, 61, qui cite *Prov.* 5, 22.

4, 17   *Garde ton pied quand tu vas à la maison de Dieu*
et approche pour écouter ;
ton sacrifice vaut plus que le don des insensés,
car ils ignorent qu'ils font le mal

34. «Ils ne savent pas comment ils achoppent [a]», ignorant même qu'ils commettent l'iniquité.

Cf. schol. 50 *ad Prov.* 4, 19, qui a un texte voisin.

5, 1   *Ne te hâte pas avec ta bouche*
et que ton coeur ne soit pas prompt
à émettre une parole devant la face de Dieu,
car Dieu est au ciel, et toi, tu es sur la terre ;
en outre, que tes paroles soient peu nombreuses.
2   *Car le rêve survient dans l'abondance de tentation*
et la voix de l'insensé dans l'abondance de paroles

35. «Τὸ γὰρ τί προσευξώμεθα καθὸ δεῖ οὐκ οἴδαμεν[a].»
῍Η τάχα νῦν οὐ τοῦτο βούλεται λέγειν, προστάσσει δὲ μὴ
ἀπερισκέπτως θεολογεῖν· οὐ γὰρ δυνατὸν τὸν ἐν αἰσθητοῖς
ὄντα καὶ ἀπὸ τούτων λαμβάνοντα τὰ νοήματα περὶ τοῦ ὄντος
5 ἐν τοῖς νοητοῖς θεοῦ καὶ πᾶσαν διαφεύγοντος αἴσθησιν
ἀπταίστως διαλεχθῆναι. Διὰ τοῦτό φησι· «καὶ ἔστωσαν οἱ
λόγοι σου ὀλίγοι», τουτέστιν ἀληθεῖς καὶ περιεσκεμμένοι·
τὸ γὰρ ὀλίγον τοιοῦτόν τι σημαίνειν μοι φαίνεται, ὡς καὶ τὸ
«κρεῖσσον ὀλίγον τῷ δικαίῳ ὑπὲρ πλοῦτον ἁμαρτωλῶν
10 πολὺν[b]» καὶ «κρεῖσσον ὀλίγη λῆψις μετὰ δικαιοσύνης[c]».
Τοῖς γὰρ μὴ τοῦτο φυλαττομένοις φησί· «παραγίνεται
ἐνύπνιον ἐν πλήθει πειρασμοῦ καὶ φωνὴ ἄφρονος ἐν πλήθει
λόγων», ἐνύπνιον λέγων τὸν καθευδούσαις ταῖς ψυχαῖς
ἐφιστάμενον μετὰ πλήθους πειρασμῶν δαίμονα καὶ ἐκταράσ-
15 σοντα τὴν ψυχήν, περὶ οὗ καὶ Ἰὼβ φησι πρὸς τὸν κύριον·
«ἐκφοβεῖς με ἐνυπνίοις καὶ ἐν ὁράμασί με καταπλήσσεις[d]»·
καὶ Δαυὶδ τοῦτον ἐκκλίνων τὸν ἐχθρὸν παρακαλεῖ τὸν κύριον
λέγων· «φώτισον τοὺς ὀφθαλμούς μου, μήποτε ὑπνώσω εἰς
θάνατον, μήποτε εἴπῃ ὁ ἐχθρός μου· ἴσχυσα πρὸς αὐτόν[e]»·
20 καὶ ἐν ταῖς Παροιμίαις· «μὴ δῷς ὕπνον σοῖς ὄμμασι μηδὲ
ἐπινυστάξῃς σοῖς βλεφάροις, ἵνα σώζῃ ὥσπερ δορκὰς ἐκ

---

a. Rom. 8, 26　　b. Ps. 36, 16　　c. Prov. 15, 29a
d. Job 7, 14　　e. Ps. 12, 4-5

AB EHT　　ἄλλος (apud 25 δυνατὸν) A　　Γρ(ηγορίου) Νύ(σσης)
H　　ἄλλω(ς) T　　B : 1-29 τὸ — πειρασμόν desunt　E : 1-6
τὸ — διαλεχθῆναι desunt ; codex praebet tantum sicut schol.
distinctum : καὶ ἄλλως δὲ διδάσκει μὴ θεολογεῖν ⌐ 1 προσ-
ευξόμεθα A H ‖ 2 οὐ om. T ‖ προτάσσει H ‖ 4 τούτου
H　τοῦτον T ‖ 5 διαφύγοντος T ‖ 6 καὶ ἔστωσαν om. E ‖ 8 μοι
om. ET ‖ 10 καὶ om. ET ‖ κρεῖσσον — δικαιοσύνης om. E ‖ 11
περιγίνεται E ‖ 12 πειρασμῶν H ‖ φωνῇ E ‖ 13 λέγω A ‖ 13-15
καθευδούσαις — ψυχήν : ἐφιστάμενον δαίμονα ταῖς καθευδούσαις
ψυχαῖς μετὰ πλήθους πολλῶν καὶ δεινῶν πειρασμῶν καὶ τὴν
ψυχὴν ἐκταράσσοντα E ‖ 15 καὶ Ἰὼβ φησι : φησι καὶ ὁ Ἰὼβ E　ὁ
Ἰὼβ φησι T ‖ 16 ὁράματί με A ‖ 17 Δαυὶδ : ὁ Δ. ET ‖ 19 μου
om. EH ‖ ἴσχυσα πρὸς αὐτόν om. H ‖ 20 δῷς] + φησίν A ‖
20-22 μηδὲ [μήτε T] ἐπινυστάξῃς [-ξεις E] σοῖς βλεφάροις [-νοις
A] — παγίδος A ET : καὶ ἑξῆς H.

35. «Nous ne savons que demander pour prier comme il faut[a].» A moins qu'il ne veuille pas dire cela maintenant, mais qu'il ordonne de ne pas parler de Dieu imprudemment. Car celui qui est parmi les sensibles et qui en reçoit les représentations ne peut tenir un discours sans erreur sur Dieu, qui est parmi les intelligibles et échappe totalement aux sens. C'est pourquoi il dit : «Et que tes paroles soient peu nombreuses», c'est-à-dire vraies et prudentes. Le petit nombre me semble désigner quelque chose du même ordre que ceci : «Mieux vaut peu pour le juste plutôt que l'abondante richesse des pécheurs[b]», et : «Mieux vaut recevoir peu avec justice[c].» A ceux qui n'ont pas observé cela il dit : «Le rêve survient dans l'abondance de tentation et la voix de l'insensé dans l'abondance de paroles»; il appelle «rêve» le démon qui s'attaque aux âmes endormies au moyen d'une multitude de tentations et qui trouble profondément l'âme, démon à propos duquel aussi Job dit au Seigneur : «Tu m'épouvantes avec des rêves et tu me remplis d'effroi avec des visions[d]»; et David qui évite cet ennemi invoque le Seigneur en ces termes : «Illumine mes yeux, de peur que je ne m'endorme dans la mort, de peur que mon ennemi ne dise : Je l'ai emporté sur lui[e]»; et dans les Proverbes (il est dit) : «N'accorde ni sommeil à tes yeux ni assoupissement à tes paupières, afin d'être sauvé comme la gazelle

βρόχων καὶ ὥσπερ ὄρνεον ἐκ παγίδος [f].» Λέγει δὲ αὐτὸν καὶ
φωνὴν τοῦ ἄφρονος, μετὰ ψευδῶν παραγινόμενον λόγων καὶ
τὴν ψυχὴν ἀπατῶντα· καὶ τοῦτό ἐστι τὸ «ἀπὸ φωνῆς
25 ὀνειδίζοντος καὶ καταλαλοῦντος [g]». Δυνατὸν δὲ καὶ τοῦτο
ἐφαρμόσαι τῇ φωνῇ τοῦ ἄφρονος τὸ «ἐκ πολυλογίας οὐκ
ἐκφεύξεται ἁμαρτία [h]». Καὶ ὁ σωτὴρ δὲ ἐν τοῖς εὐαγγελίοις
προστάσσει ἀγρυπνεῖν τὸν ἄνθρωπον καὶ προσεύχεσθαι, ἵνα
μὴ ἐμπέσῃ εἰς πειρασμόν [i] · ὕπνος γάρ ἐστι λογικῆς ψυχῆς
30 ἄγνοια καὶ κακία· ὅθεν καὶ ὁ Παῦλος τοὺς οὕτω
καθεύδοντας διυπνίζει λέγων· «ἔγειρε, ὁ καθεύδων, καὶ
ἀνάστα ἐκ τῶν νεκρῶν, καὶ ἐπιφαύσει σοι ὁ Χριστός [j].»

f. Prov. 6, 4   g. Ps. 43, 17   h. Prov. 10, 19
i. Cf. Matth. 26, 41   j. Éphés. 5, 14

23 φωνὴ Τ ‖ παραγενόμενον Α ΕΤ ‖ 24 τὸ om. Τ ‖ 27 ἐκφεύξῃ
ΕΤ ‖ ἁμαρτίαν Α ΕΤ ‖ σωτὴρ : κύριος Η ‖ δὲ om. Η ‖ 27-29 ἐν
τοῖς [+ ἁγίοις Ε] — πειρασμόν Α ΕΤ : ἀγρυπνεῖτε καὶ προσ-
εύχεσθε καὶ τὰ ἑξῆς Η ‖ 29 ἐστι om. Β ‖ 30 ὅθεν : διὸ Β Η ‖
Παῦλος : ἀπόστολος Η ‖ 30-31 τοὺς — διυπνίζει om. Β ‖ 31
λέγων : βοᾷ Β ‖ 31-32 καὶ — Χριστός : καὶ — νεκρῶν καὶ τὰ
ἑξῆς Η om. Β.

Procope : Τοῖς ἀπερισκέπτως θεολογοῦσι «παραγίνεται ἐνύπνιον ἐν
πλήθει πειρασμοῦ καὶ φωνὴ ἄφρονος ἐν πλήθει λόγων», ἐνύπνιον λέγων τὸν
καθευδούσαις ταῖς ψυχαῖς ἐφιστάμενον μετὰ πλήθους πειρασμῶν δαίμονα
καὶ ἐκταράσσοντα τὴν ψυχήν.

Τ² — Εὐα(γρίου).

Lignes 1-10. Après une première interprétation sur laquelle il ne
s'attarde pas, Évagre lie le verset à l'exercice de la *théologia*. La plus
grande prudence s'impose lorsqu'on arrive au plus haut degré de la
connaissance, la théologie ou la science de la sainte Trinité. Les
conseils donnés ici correspondent à ceux que l'on trouve en *Gnostique* 27 : «Ne parle pas de Dieu inconsidérément (μὴ ἀπερισκέπτως
θεολογήσῃς) et ne définis jamais la Divinité. Les définitions, en effet,
sont propres aux êtres créés et composés» (trad. A. et C. Guillaumont), ou encore dans la scholie 310 *ad Prov.* 25, 17 : «C'est rarement
et non fréquemment que nous devons nous appliquer aux problèmes

des lacets et comme l'oiseau du filet[f].» Il l'appelle aussi
«voix de l'insensé», parce qu'il survient avec des paroles
mensongères et abuse l'âme ; le verset : «De la voix de
celui qui invective et qui médit[g]» a le même sens. On
peut aussi rattacher à la voix de l'insensé ce verset :
«Par la prolixité, on n'évitera pas le péché[h].» Et le Sauveur dans les Évangiles ordonne à l'homme de veiller et
de prier afin de ne pas tomber dans la tentation[i]. Le
sommeil de l'âme raisonnable est en effet l'ignorance et
la malice. De là vient que Paul réveille les endormis de
cette sorte par ces mots : «Éveille-toi, toi qui dors, et
lève-toi d'entre les morts, et sur toi luira le Christ[j].»

théologiques, afin de ne pas dire sur Dieu quelque chose qui n'est pas
dans l'Écriture et de ne pas déchoir de la science spirituelle en
commettant quelque impiété ; car notre intellect ne peut pas, étant
donné la faiblesse qui est la sienne, fixer son regard de façon continue
sur une si haute contemplation.» En matière de «théologie», il faudra
donc éviter le bavardage, la curiosité indiscrète (*Exhortation* II, 39 :
Τριάδα μὴ περιεργάζου), la précipitation (dans sa citation de *Gnostique*
27, l'historien SOCRATE, *H.E.* III, 7, joint tout naturellement à ἀπερισκέπτως l'adverbe προπετῶς, et Symmaque a rendu le début du verset 1 ainsi : μὴ προπετὴς γίνου τῷ στόματί σου). ORIGÈNE avait fait la
même interprétation d'*Eccl.* 5, 1 dans un fragment conservé par *Philocalie* 1, 28 : «Mais si on s'y jette trop précipitamment (προπετέσ-
τερον), sans reconnaître le caractère indicible de la Sagesse de Dieu et
du Logos ..., alors inévitablement on tombe dans l'invention de fables,
dans les bavardages, dans les fictions, et l'on se livre au danger de
l'impiété (τῷ περὶ ἀσεβείας ... κινδύνῳ). Voilà pourquoi il faut garder en
mémoire aussi le commandement donné par Salomon dans l'*Ecclésiaste* pour de telles occasions : ' Ne te hâte pas, etc. '» (trad. Harl, *SC*
302). On trouverait chez GRÉGOIRE DE NAZIANZE plusieurs
recommandations du même genre ; mentionnons tout particulièrement le *Discours* 32 dans lequel Grégoire met en garde contre les
spéculations trop hardies et exhorte à s'en tenir à une foi simple :
dans le § 21 on rencontre le verbe περιεργάζεσθαι et la citation de *Sir.*
4, 29 : Μὴ ἴσθι ταχὺς ἐν λόγοις, et dans le § 26 on lit ceci : «Ne méprise
pas ce qui est en usage, ne fais pas la chasse aux nouveautés avec
l'intention de te mettre en valeur parmi la multitude. Que Salomon
t'instruise avec ce conseil : ' Mieux vaut une petite part avec la

sécurité qu'une grande avec le délabrement' (*Prov.* 15, 16), et :
'Mieux vaut l'indigent qui marche avec simplicité' (*Prov.* 19, 1, selon
le texte hexaplaire)» (trad. Gallay, *SC* 318). Le verset de l'Ecclésiaste
est également rapporté à la *théologia* par la *Catena Hauniensis* (V,
8-24) et par OLYMPIODORE (*PG* 93, 537 D).

Lignes 11-32. Interprétation symbolique du rêve, du sommeil et de
l'assoupissement. Pour le commentaire de *Prov.* 6, 4, voir la scholie 70

5, 3   < καθὼς ἂν εὔξῃ εὐχὴν τῷ θεῷ,
         μὴ χρονίσῃς τοῦ ἀποδοῦναι αὐτήν·
         ὅτι οὐκ ἔστιν θέλημα ἐν ἄφροσιν,
         σὺ οὖν ὅσα ἂν εὔξῃ ἀπόδος.
4   ἀγαθὸν τὸ μὴ εὔξασθαί σε
         ἢ τὸ εὔξασθαί σε καὶ μὴ ἀποδοῦναι >

36. Τῶν ἀγαθῶν δώρων τὰ μὲν ἀπὸ ψυχῆς προσφέρεται
τῷ θεῷ, τὰ δὲ ἀπὸ τοῦ σώματος, τὰ δὲ ἀπὸ τῶν πέριξ τοῦ
σώματος. Καὶ ἀπὸ μὲν ψυχῆς προσφέρομεν αὐτῷ πίστιν
ὀρθὴν καὶ δόγματα ἀληθῆ, δικαιοσύνην καὶ ἀνδρείαν καὶ
5 σωφροσύνην· ἀπὸ δὲ τοῦ σώματος ἐγκράτειαν καὶ παρθενίαν
καὶ μονογαμίαν· ἀπὸ δὲ τῶν πέριξ τοῦ σώματος υἱοὺς καὶ

AB EHT   Βα(σιλείου) Η   ἄλλω(ς) Τ   Β : 7-30 ἴδωμεν —
πολλάς desunt   ⌐ 1 τῶν ἀγαθῶν δώρων : τῶν ἀγαθῶν ἀνδρῶν
Ε   τρία τὰ ἀγαθὰ δῶρα Β ‖ ψυχῆς : τῆς ψ. Ε ‖ 2-3 πέριξ τοῦ
σώματος : περὶ τὸ σῶμα Η ‖ 3 ἀπὸ μὲν [+ τῆς ΕΤ] ψυχῆς
προσφέρομεν [-ωμεν Τ] αὐτῷ Α ΕΗΤ : τὰ μὲν ἀπὸ ψυχῆς Β ‖ 4
καὶ¹ om. Β ‖ ἀληθῆ] + καὶ ΕΤ ‖ 4-5 δικαιοσύνην — σωφροσύνην
Α ΕΗΤ : καὶ τὰς τέσσαρας ἀρετάς, φρόνησιν, ἀνδρείαν, σωφροσύνην καὶ δικαιοσύνην· συνίστανται γὰρ αὗται ἐκ φύσεως καὶ
προαιρέσεως· ἢ μὲν γὰρ ἐκ φύσεως τὴν ἐπιτηδειότητα ἔχουσι
πρὸς τήνδε ἢ τήνδε τὴν ἀρετήν, κατὰ τοῦτο φυσικαὶ λέγονται· ἢ
δὲ ἐκ τῆς φύσεως ἐπιτηδειότης δέεται ἐπεξεργασίας καὶ προαιρέσεως καὶ ἱδρώτων καὶ πόνων εἰς ἕξιν καὶ ἐνέργειαν προβῆναι, κατὰ
τοῦτο λέγονται προαιρετικαί interpolavit Β ‖ 5-6 ἐγκράτειαν καὶ
[καὶ om. Ε] παρθενίαν καὶ μονογαμίαν Α ΕΗ : ἐγκράτεια,
παρθενία, μονογαμία Β   παρθενίαν, ἐγκράτειαν καὶ μονογαμίαν
Τ.

à ce verset et le début de la *Lettre* 30. La vigilance à laquelle appelle le Sauveur n'est pas la pratique ascétique de la veille, mais la vigilance de l'âme (cf. schol. 74 *ad Prov.* 6, 9 ; 374 *ad Prov.* 31, 15 ; *Pensées* 27 [éd. Muyldermans, p. 51, l. 15-18]), et le réveil auquel exhorte Paul est un réveil tout spirituel (cf. la définition du mot ὄρθρος dans la scholie 265 *ad Prov.* 23, 35 et celle du mot ἔγερσις dans la scholie 10 *ad Ps.* 138, 18). La citation de Job apparaît aussi dans la *Catena Hauniensis* (V, 31-32).

5, 3 *Quand tu fais un voeu à Dieu,*
        ne tarde pas à t'en acquitter,
        car il n'y a pas de volonté chez les insensés ;
        toi donc, acquitte-toi de tout ce que tu as voué.
     4 *Mieux vaut pour toi ne pas faire de voeu*
        que faire un voeu et ne pas t'en acquitter

36. Parmi les bonnes offrandes, certaines sont présentées à Dieu à partir de l'âme, d'autres à partir du corps, d'autres à partir de ce qui est extérieur au corps. Et à partir de l'âme, nous lui présentons la foi droite et les doctrines vraies, la justice, le courage et la tempérance ; à partir du corps, l'abstinence, la virginité et le mariage unique ; à partir de ce qui est extérieur au

θυγατέρας καὶ δούλους καὶ χρήματα καὶ κτήματα. Ἴδωμεν
τοίνυν τὸ ὑποσχέσθαι καὶ χρονίσαι· μήποτε οὐ τούτου τοῦ
χρόνου τὸ μέγα διάστημα σημαίνει ὁ χρονισμός, ἀλλὰ τὴν
10 παντελῆ ἄρνησιν τῆς ὑποσχέσεως· φαίνεται γὰρ ὁ Ἰακὼβ
μετὰ πολλὰ ἔτη τὰς δεκάτας ἀποδεδωκὼς τῷ θεῷ ἃς ὑπέσ-
χετο δώσειν αὐτῷ ἐπὶ τὴν Μεσοποταμίαν βαδίζων[a] καὶ
Ἄννα τὸν Σαμουὴλ μετὰ πολὺν χρόνον προσαγαγοῦσα τῷ
θεῷ[b]. Ἐπὶ μὲν τῶν δώρων τῶν πέριξ τοῦ σώματος οὕτως·
15 ἐπὶ δὲ τῶν τῆς ψυχῆς καὶ τοῦ σώματος δώρων, πῶς ἐκληπ-
τέον ; ἐγὼ νομίζω ὅτι ὁ ὑποσχόμενος πίστιν ὀρθὴν καὶ λέγων
κτίσμα ἕν τι τῶν ἀπὸ τῆς ἁγίας τριάδος χρονίζει, καὶ ὁ
ἐπαγγειλάμενος πάντα ὁμολογεῖν διὰ τοῦ θεοῦ γεγενῆσθαι
καὶ αὐτοματισμὸν πάλιν εἰσάγων χρονίζει· καὶ ἐπὶ τῶν
20 ἄλλων δογμάτων ὡσαύτως. Ἐπὶ δὲ τῶν ἀρετῶν οὕτως· ὁ
ὑποσχόμενος δικαιοσύνην καὶ ἀδικῶν χρονίζει τοῦ
ἀποδοῦναι, καὶ ὁ ἐπαγγειλάμενος σωφροσύνην καὶ πάλιν
πορνεύων χρονίζει. Ἐπὶ δὲ τῶν τοῦ σώματος· ὁ ὑποσχόμενος ἐγκράτειαν καὶ πάλιν μεταλαμβάνων ἐδεσμάτων ποι-
25 κίλων χρονίζει, καὶ ὁ ἐπαγγειλάμενος παρθενίαν ἢ μονογαμίαν καὶ γαμήσας ἢ διγαμήσας χρονίζει τοῦ ἀποδοῦναι. Τὸ
δὲ πῶς «ἀγαθὸν τὸ μὴ εὔξασθαι ἢ τὸ εὔξασθαι καὶ μὴ

a. Cf. Gen. 28, 6, 22   b. Cf. I Sam. 1, 21-25

7 καί[1] om. ET ‖ 8 τοίνυν] + τί ἐστι ET ‖ οὐ : ὁ Τ ‖ 9 χρονισμός : χωρισμός Α ‖ 10-11 ὁ Ἰακὼβ post ἔτη Τ ‖ 11 ἔτη : ἔτι Ε ‖
11-12 ὑπόσχετο Ε ‖ 12 αὐτὸν Τ ‖ τὴν om. Τ ‖ 13 Σα-
μουὴλ] + καίπερ Τ ‖ προσάγουσα Α ‖ προσαγαγοῦσα] + αὐτὸν Τ
‖ 15 δὲ om. T[tx] [rest. T[sl]] ‖ 18 διὰ τοῦ θεοῦ : ἀπὸ τοῦ θεοῦ
Α τῷ θεῷ παρ᾽ αὐτοῦ καὶ δι᾽ αὐτοῦ Ε ‖ 19 πάλιν om. Η ‖ 20
ὡσαύτως : ὁμοίως Η ‖ 22 καί[1] om. Α ‖ ἐπαγγειλάμενος : ὑποσχόμενος Η ‖ σωφροσύνην : σωφροσύνην ἐπιτελεῖν Ε σωφρονεῖν
ΗΤ ‖ πάλιν om. Η ‖ 23 πορνεύει ΕΗ ‖ χρονίζει : χρ. τοῦ
ἀποδοῦναι ΕΤ om. Η ‖ ἐπὶ δὲ τῶν τοῦ σώματος om. Η ‖ ὁ : καὶ ὁ
Η ‖ 24 πάλιν om. Η ‖ 24-25 μεταλαμβάνων ἐδεσμάτων ποικίλων : ποικίλων ἐδεσμ. μεταλ. Τ γαστριμαργεῖ Η ‖ 25
χρονίζει : καὶ οὗτος χρονίζει Ε om. Η ‖ 25-26 ἢ μονογαμίαν :
καὶ μονογ. Α om. Η ‖ 26 καὶ γαμήσας — ἀποδοῦναι : καὶ μὴ
ποιῶν Η.

corps, les fils, les filles, les serviteurs, les richesses et les possessions. Examinons donc les verbes «promettre» et «tarder»; peut-être que le retard ne désigne pas le grand intervalle de ce temps, mais le reniement pur et simple de la promesse. Car il est clair que c'est après bien des années que Jacob s'est acquitté envers Dieu de la dîme qu'il avait promis de lui donner lorsqu'il marchait vers la Mésopotamie[a], et que c'est après un long temps qu'Anne a présenté Samuel à Dieu[b]. Voilà ce qu'il en est des offrandes extérieures au corps; mais pour les offrandes de l'âme et du corps, quelle sorte d'interprétation donner? Je pense que celui qui a promis la foi droite et qui appelle créature un des (trois) de la sainte Trinité «tarde», que celui qui s'est engagé à confesser que tout a été produit grâce à Dieu et qui introduit à nouveau le hasard «tarde»; et de même pour les autres doctrines. Quant aux vertus, voici ce qu'il en est: celui qui a promis la justice et qui fait l'injustice «tarde à s'acquitter», celui qui s'est engagé à la tempérance et s'adonne de nouveau à la luxure «tarde». Pour les (offrandes) du corps: celui qui a promis l'abstinence et qui goûte à nouveau à des mets variés «tarde», celui qui s'est engagé à la virginité ou au mariage unique et qui s'est marié ou a contracté un second mariage «tarde à s'acquitter». Nous expliquerons comment «il vaut mieux ne pas faire de voeu que faire un voeu et ne pas s'en acquitter», en produisant le passage tiré de l'Évan-

ἀποδοῦναι» λύσομεν τὸ ἀπὸ τοῦ εὐαγγελίου προσάγοντες ὅτι
ὁ δοῦλος ὁ μὴ ἐγνωκὼς καὶ μὴ ποιήσας δαρήσεται ὀλίγας, ὁ
30 δὲ ἐγνωκὼς καὶ μὴ ποιήσας δαρήσεται πολλάς ᶜ.

c. Cf. Lc 12, 47-48

28 λύσωμεν HT ‖ 29 ὁ¹ om. EHT ‖ 29-30 ὁ δὲ — πολλάς om.
H.

PROCOPE : Τῶν ἀγαθῶν δώρων τὰ μὲν ἀπὸ τῆς ψυχῆς προσφέρεται τῷ
θεῷ, τὰ δὲ ἀπὸ τοῦ σώματος, τὰ δὲ ἀπὸ τῶν πέριξ τοῦ σώματος. Καὶ ἀπὸ
μὲν τῆς ψυχῆς προσφέρομεν αὐτῷ πίστιν ὀρθὴν καὶ δόγματα ἀληθῆ,
δικαιοσύνην καὶ ἀνδρείαν καὶ σωφροσύνην· ἀπὸ δὲ τοῦ σώματος
5 ἐγκράτειαν καὶ παρθενίαν καὶ μονογαμίαν· ἀπὸ δὲ τῶν περὶ τὸ σῶμα υἱοὺς
καὶ θυγατέρας καὶ δούλους καὶ κτήματα καὶ χρήματα. Μήποτε δὲ νῦν τὸ
«μὴ χρονίσῃς» τὴν παντελῆ δεδήλωκεν ἄρνησιν τῆς ὑποσχέσεως· φαίνεται
γὰρ ὁ Ἰακὼβ μετὰ πολλὰ ἔτη τὰς δεκάτας ἀποδεδωκὼς τῷ θεῷ ἃς ὑπέσ-
χετο δώσειν αὐτῷ ἐπὶ τὴν Μεσοποταμίαν βαδίζων ᵃ καὶ Ἄννα τὸν Σα-
10 μουὴλ μετὰ πολὺν χρόνον προσάγουσα τῷ θεῷ ᵇ. Καὶ ταῦτα μὲν ἐπὶ τῶν
περὶ τὸ σῶμα· ἐπὶ δὲ ψυχῆς ἐγὼ νομίζω ὅτι ὁ ὑποσχόμενος πίστιν ὀρθὴν
καὶ ἑτεροδοξῶν χρονίζει, καὶ πάλιν ὁ ὑποσχόμενος δικαιοσύνην καὶ ἀδικῶν
«χρονίζει τοῦ ἀποδοῦναι»· ἐπὶ δὲ τῶν τοῦ σώματος, ὁ ὑποσχόμενος
ἐγκράτειαν καὶ ποικίλων αὖθις ἐδεσμάτων μεταλαμβάνων χρονίζει. Πῶς
15 δὲ «ἀγαθὸν τὸ μὴ εὔξασθαι ἢ τὸ εὔξασθαι καὶ μὴ ἀποδοῦναι» λύει τὸ
φάσκον εὐαγγέλιον ὅτι ὁ δοῦλος ὁ μὴ ἐγνωκὼς τὸ θέλημα τοῦ κυρίου αὐτοῦ
καὶ μὴ ποιήσας δαρήσεται ὀλίγας, καὶ τὰ ἑξῆς ᶜ.

NT² — Ὠριγένους add. man. recent. in T². — 1 δώρων restitui : ἀνδρῶν NT² ‖ τῆς om. N ‖ 2 τοῦ¹ om. N ‖ τῶν πέριξ τοῦ
σώματος restitui : τὸν περι ἑξῆς τοῦ σώματος T² τοῦ περὶ τὸ
σῶμα N ‖ καὶ om. N ‖ 2-3 ἀπὸ μὲν τῆς ψυχῆς : ἀπὸ ψυχῆς μὲν N
‖ 3 προσφέρομεν scripsi : -φέρωμεν NT² ‖ αὐτῷ om. N ‖ ἀληθῆ :
ὀρθά N ‖ 4 δικαιοσύνην — σωφροσύνην hic inserui : post 5
ἐγκράτειαν καὶ transp. T² om. N ‖ 5 παρθενίαν] + τε T² ‖ 9 τὴν
om. N ‖ 12 καὶ ἀδικῶν om. T² ‖ 13 τῶν om. N ‖ ὁ om. T² ‖ 16
ὁ¹ om. T² ‖ 17 καὶ τὰ ἑξῆς om. T².

Lignes 1-7. Cette distinction entre trois sortes d'offrandes s'inspire
directement de la doctrine des trois biens que l'on fait habituellement
remonter à ARISTOTE (*Éth. à Eudème*, II, 1 [1218 b 32-34]; *Éth. à
Nicomaque*, I, 8 [1098 b 12-14]), mais qui lui est antérieure, ainsi
qu'Aristote le laisse entendre lui-même (cf. PLATON, *Lois* III, 697 b et
Gorgias 477 a-c). Elle a été transmise sous la forme d'un *placitum* par
DIOGÈNE LAËRCE, *Vie et opinions* V, 30. Plusieurs allusions chez Philon et les auteurs chrétiens (voir A.-J. FESTUGIÈRE, *L'idéal religieux
des Grecs et l'Évangile*, Paris 1932, p. 221-263, Excursus C : « Aristote
dans la littérature grecque chrétienne jusqu'à Théodoret » ; É. JUNOD,

gile où il est dit que le serviteur qui n'a pas su et n'a pas
agi recevra peu de (coups), tandis que celui qui a su et
n'a pas agi en recevra beaucoup [c].

Origène. Philocalie 21-27, SC 226, p. 238-239, n. 1). La liste des différents biens donnée par Évagre est très différente de celle que donne
Origène en *Philocalie* 26, 1, dans son commentaire du psaume 4,
laquelle dépend étroitement du *placitum* de Diogène Laërce. Dans la
scholie 12 ter *ad Ps.* 9, 26, Évagre développe une doctrine des trois
maux qui est l'exacte antithèse de celle des trois biens : « Parmi les
épreuves (πειρασμῶν), certaines sont présentées à l'âme, d'autres au
corps, d'autres à ce qui est extérieur au corps. Et celles qui sont
présentées à l'âme sont appelées pensées impures : elles engendrent
péchés et fausses doctrines ; celles qui sont présentées au corps
deviennent responsables de coups, de tortures, de persécutions, de
prisons et de morts ; les épreuves qui sont extérieures au corps
comprennent des dommages concernant les richesses et les biens, des
pertes d'enfants et des veuvages » (*Vaticanus gr. 754*, f. 52ᵛ : collation
M.-J. Rondeau) ; voir aussi *KG* I, 25.

Le manuscrit B a une longue interpolation sur les vertus : « ... et les
quatre vertus : prudence, courage, tempérance et justice. Car elles se
composent de nature et de choix. Dans la mesure où (les hommes) ont
à partir de la nature une aptitude pour telle ou telle vertu, elles sont
appelées naturelles ; dans la mesure où partant de la nature cette
aptitude a besoin d'action supplémentaire, de choix, de sueurs et de
peines pour parvenir à une disposition permanente et à l'acte, elles
sont appelées volontaires. »

Lignes 7-14. Les deux épisodes bibliques conduisent à une interprétation radicale du « retard » : celui-ci est le reniement pur et simple
de la promesse. On trouvera une interprétation analogue chez Cassien, *Conférence* IX, 12.

Lignes 16-20. Déclarer que le Fils ou l'Esprit sont des créatures,
c'est succomber à l'hérésie arienne, qu'Évagre a combattue dans la
Lettre sur la Trinité (§ 9 pour le Fils et § 10 pour l'Esprit). Le mot
αὐτοματισμός renvoie à la cosmologie d'Épicure dans laquelle le
monde est formé de la rencontre fortuite des atomes. En *Strom.* V, 90,
2, Clément d'Alexandrie, qui traite des emprunts faits par les
Grecs aux Écritures, considère que la doctrine épicurienne du hasard
vient d'une mauvaise interprétation du livre de l'Ecclésiaste (voir
A. Le Boulluec, Comm. *ad loc.*, SC 279, p. 295). Didyme réfute
« ceux qui suppriment la Providence et soutiennent la doctrine du
hasard » (πρὸς τοὺς ἀναιροῦντας πρόνοιαν καὶ αὐτοματισμὸν λέγοντας)
dans le commentaire d'*Eccl.* 3, 14 (p. 252, l. 30-36).

Lignes 20-26. Évagre ne reprend que deux des vertus de l'âme mentionnées plus haut et laisse de côté le courage. La σωφροσύνη est très
précisément la continence sexuelle à laquelle s'oppose la luxure, et
l'ἐγκράτεια l'abstinence alimentaire qui réprime la gourmandise (voir
la note à la scholie 377 *ad Prov.* 31, 21); pour l'expression «mets
variés», voir *Pratique* 16 : «Lorsque notre âme convoite différentes
nourritures (διαφόρων βρωμάτων), qu'elle réduise alors sa ration de
pain et d'eau, afin d'être reconnaissante même pour une simple bouchée. Car la satiété désire des mets variés (ποικίλων ἐδεσμάτων), tandis
que la faim considère la satiété de pain comme la béatitude» (trad. A.
et C. Guillaumont légèrement modifiée). Concernant les secondes
noces, Évagre partage certainement les préventions largement répandues dans l'Église ; sur le sujet, voir notamment ORIGÈNE, *Hom. sur
Jérémie* XX, 4 ; *Hom. sur Luc* XVII, 11.

5, 5   < μὴ δῷς τὸ στόμα* σου τοῦ ἐξαμαρτεῖν τὴν σάρ-
κα σου
καὶ μὴ εἴπῃς πρὸ προσώπου τοῦ θεοῦ ὅτι
ἄγνοιά ἐστιν,
ἵνα μὴ ὀργισθῇ ὁ θεὸς ἐπὶ φωνῇ σου
καὶ διαφθείρῃ τὰ ποιήματα χειρῶν σου ·

6¹   ὅτι ἐν πλήθει ἐνυπνίων καὶ ματαιοτήτων καὶ
λόγων πολλῶν >

37. «᾽Εν πλήθει, φησίν, ἐνυπνίων» πονηρῶν «καὶ
ματαιοτήτων καὶ λόγων» ψευδῶν γίνεται ἄνθρωπος,
διαφθαρέντων αὐτοῦ τῶν ἔργων ἀπὸ τῆς ἐγκαταλείψεως τοῦ
θεοῦ, ἥτις συμβέβηκεν αὐτῷ διὰ τῆς οἰκείας παρανομίας.

A ET   ⏋ 1 φησίν A : γὰρ ET ‖ 3 ἐγκαταλείψεως Aᵖᶜ :
-λήψεως Aᵃᶜ ET ‖ 4 ἥτις : ἤτοι T ‖ διὰ : ἀπὸ E.

PROCOPE : Τουτέστιν· εἴ τι καλὸν εἰργάσω διαφθαρῇ ἀπὸ τῆς ἐγκαταλείψεως τοῦ θεοῦ.

T². — 2 ἐγκαταλείψεως scripsi : -λήψεως T².

Lemme biblique. Pour le sens du mot ἄγνοια dans la Septante, voir
M. HARL, *La Bible d'Alexandrie. La Genèse,* Paris 1986, p. 211, note à
Gen. 26, 10.

Lignes 26-30. Le châtiment qui sera infligé à ceux qui ont fait une rechute sera plus terrible que celui que devront endurer les pécheurs qui n'ont pas connu la vertu et la science. Le chapitre 133 des *Disciples d'Évagre* indique même que Dieu diffère parfois le don de la science pour éviter ce genre de situation : « Parce qu'il est notre bienfaiteur, Dieu ne nous fait pas don de la science quand il nous voit négligents pour le bien, car ʻcelui qui a connu la volonté du Seigneur et n'a pas agi recevra un grand nombre de coups, etc.ʼ (*Lc* 12, 48). »

Cette scholie a été éditée dans la rédaction remaniée de Procope par S. Leanza, dans son ouvrage sur l'exégèse d'Origène (voir *supra*, Introduction, p. 47 et n. 3). L'éditeur ne semble pas avoir remarqué que l'attribution à Origène était de seconde main.

5,   5   *Ne permets pas à ta bouche de faire pécher ta*
chair
et ne dis pas devant la face de Dieu : C'est (une
faute par) ignorance,
de peur que Dieu ne s'irrite de ta parole
et ne détruise les oeuvres de tes mains.
   6[1]   *Car (tu seras) dans un grand nombre de rêves, de*
vanités et de paroles nombreuses

37. L'homme, dit-il, est « dans un grand nombre de rêves » mauvais, « de vanités et de paroles » mensongères, quand ses oeuvres ont été détruites par la déréliction infligée par Dieu, laquelle lui est arrivée du fait de sa propre iniquité.

Sur la déréliction : schol. 4 et 61 ; *Gnostique* 28 ; celle qui est mentionnée ici a pour but la rééducation des pécheurs. Sur le lien entre déréliction et terreurs nocturnes, voir particulièrement *Pensées* 9 (*PG* 79, ch. 10, 1212 C) : « Cette amitié (pour les démons), ou plutôt cette gangrène difficilement curable, le médecin des âmes la soigne par la déréliction : il permet (συγχωρεῖ) que nous subissions de leur part quelque chose de terrifiant la nuit ou le jour, et l'âme revient bien vite à sa haine originelle. »

5, 7   < ἐὰν συκοφαντίαν πένητος καὶ ἁρπαγὴν κρί-
            ματος καὶ δικαιοσύνης ἴδῃς ἐν χώρᾳ,
        μὴ θαυμάσῃς ἐπὶ τῷ πράγματι·
        ὅτι ὑψηλὸς ἐπάνω ὑψηλοῦ φυλάσσει
        καὶ ὑψηλοὶ ἐπ᾽ αὐτούς*.
     8 καὶ περισσεία γῆς ἐπὶ παντί ἐστι,
        βασιλεὺς τοῦ ἀγροῦ εἰργασμένου.
     9 ἀγαπῶν ἀργύριον οὐ πλησθήσεται ἀργυρίου·
        καί τις ἠγάπησεν ἐν πλήθει αὐτοῦ γένημα·
        καί γε τοῦτο ματαιότης.
    10 ἐν πλήθει ἀγαθωσύνης ἐπληθύνθησαν οἱ
                            ἔσθοντες αὐτήν·
        καὶ τί ἀνδρεία τῷ παρ᾽ αὐτῆς;
        ὅτι ἀρχὴ τοῦ ὁρᾶν ὀφθαλμοῖς αὐτοῦ.
    11 γλυκὺς ὕπνος τοῦ δούλου,
        εἰ ὀλίγον καὶ εἰ πολὺ φάγεται·
        καὶ τῷ ἐμπλησθέντι τοῦ πλουτῆσαι
        οὐκ ἔστιν ἀφίων αὐτὸν τοῦ ὑπνῶσαι>

38. Ἐὰν ἴδῃς, φησίν, ἐν τοῖς ἀνθρώποις τοὺς μὲν συ-
κοφαντουμένους, τοὺς δὲ ἀδικουμένους ἐν κρίσει καὶ ἄλλους
δικαιοπραγοῦντας, μὴ θαυμάσῃς ἐπὶ τοῖς γινομένοις ὡς οὐκ
οὔσης προνοίας. Γίνωσκε γὰρ ὅτι ὁ θεὸς διὰ τοῦ Χριστοῦ
5 φυλάσσει τὰ πάντα καὶ οὗτος πάλιν προνοεῖ πάντων διὰ τῶν
ἁγίων ἀγγέλων περισσευομένων ἐν γνώσει τῶν ἐπὶ γῆς ᵃ.
Βασιλεὺς γάρ ἐστιν ὁ θεὸς τοῦ γεγονότος δι᾽ αὐτοῦ κόσμου ᵇ,
ὃς ἀποδώσει θλῖψιν μὲν τοῖς πλεονεξίαν καὶ τὴν ματαιότητα
τοῦ βίου τούτου προτιμήσασι τῆς γνώσεως τοῦ Χριστοῦ,

a. Cf. II Sam. 14, 20   b. Cf. Jn 1, 10

AB′ ET   ἄλλως Ε   ⌐5 οὗτος : οὕτως Α   οὕτως [ο supra ω]
B′ ‖ πάντων : πάντα Α om. Τ ‖ 6 ἁγίων om. Τ ‖ ἐν om. B′ ‖ 7 δι᾽
αὐτοῦ : διὰ τοῦ Α ‖ 8 ἀποδώσει] + ἑκάστῳ Α ‖ τοῖς : τὴν Τ ‖ 9
τῆς — Χριστοῦ om. B′.

5,   7   *Si tu vois dans un pays l'oppression du pauvre,*
                  ainsi que le rapt du droit et de la justice,
              ne t'étonne pas de la chose,
              car un haut placé veille au-dessus d'un haut
                                          placé,
              et de (plus) haut placés sur eux.

      8   *Et il y a surabondance de terre pour chacun,*
              (il y a) un roi du champ cultivé.

      9   *Celui qui aime l'argent ne se rassasiera pas*
                                          d'argent;
              et on a aimé un produit dans son abondance.
              Cela aussi est vanité.

     10   *Avec l'abondance de bien se sont multipliés ceux*
                                   qui le mangent,
              et quel profit y a-t-il pour son possesseur?
              (Le) voir le premier de ses yeux.

     11   *Doux est le sommeil du serviteur,*
              qu'il mange peu ou beaucoup;
              et celui qui s'est rassasié de son enrichissement,
              on ne le laisse pas dormir

38. Si tu vois, dit-il, chez les hommes d'aucuns
opprimés, d'autres subissant des injustices dans un
jugement, et d'autres pratiquant la justice, ne t'étonne
pas de ce qui se produit, comme s'il n'y avait pas de
providence. Sache en effet que Dieu veille sur tout par
le Christ et que ce dernier à son tour exerce sa providence sur tout par l'intermédiaire des saints anges qui
possèdent en surabondance la science de ce qui est sur
terre[a]. Dieu est en effet le roi du monde qui a été créé
grâce à lui[b] ; il accordera en retour l'affliction à ceux
qui ont préféré la cupidité et la vanité de cette vie à la
science du Christ, mais à ceux qui ont vécu dans le bien

10 τοῖς δὲ ἐν ἀγαθωσύνῃ ζήσασιν καὶ ἐν ἀνδρείᾳ καὶ τῇ δικαιο-
σύνῃ δουλεύσασι δώσει γνῶσιν θεοῦ καὶ γλυκεῖαν ἀνάπαυσιν,
εἰ καὶ ὀλίγους τινὰς τῶν ἐνταῦθα ἢ πολλοὺς λόγους ἐγνώκα-
σιν, ἐκ μέρους ἐγνωκότες καὶ ἐκ μέρους προφητεύσαντες ^c ·
καὶ τοὺς μὲν τοιοῦτον διαδέξεται τέλος, τοὺς δὲ ἐμπλησ-
15 θέντας τῆς κακίας οὐκ ἐάσει διαναπαύσασθαι ὁ ἐξ αὐτῆς
τικτόμενος σκώληξ. Ὅτι δὲ τὸν κόσμον τοῦτον πεπίστευκεν
ἀγγέλοις ὁ κύριος, δείκνυσι Μωσῆς λέγων · «ὅτε διεμέριζεν
ὁ ὕψιστος ἔθνη, ὡς διέσπειρεν υἱοὺς Ἀδάμ, ἔστησεν ὅρια
ἐθνῶν κατὰ ἀριθμὸν ἀγγέλων θεοῦ ^d.» Τὸν δὲ κόσμον ἀγρὸν
20 καὶ αὐτὸς ὁ κύριος ἡμῶν ἐν τοῖς εὐαγγελίοις ὠνόμασε
λέγων · «ἀγρός ἐστιν ὁ κόσμος ^e.» Τὴν δὲ περισσείαν τῆς γῆς
τὴν γνῶσιν λέγει τῶν ἐπὶ γῆς, εἴγε «μακάριοι οἱ πραεῖς, ὅτι
αὐτοὶ κληρονομήσουσι τὴν γῆν ^f» · τίς δέ ἐστιν ἄλλη
κληρονομία τῆς φύσεως τῆς λογικῆς πλὴν τῆς γνώσεως τοῦ
25 θεοῦ; Ὑψηλοὺς δὲ εἶπε τοὺς ἀγγέλους, ἐπειδὴ τοῦ ὑψηλοῦ
κυρίου μετέχουσιν · «ὑψηλὸς γάρ, φησίν, ἐπὶ πάντα τὰ ἔθνη
ὁ κύριος ^g.»

c. Cf. I Cor. 13, 9-10   d. Deut. 32, 8   e. Matth. 13,
38   f. Matth. 5, 5   g. Ps. 112, 4

10 δὲ : δ' Β' Ε om. Τ ‖ ἐν¹ om. Τ ‖ καὶ¹ om. Α ‖ ἐν² om. ΕΤ ‖
ἀνδρείᾳ] + καθὼς Χριστὸς ΕΤ ‖ 10-11 δικαιοσύνῃ] + αὐτοῦ ΕΤ
‖ 11 δώσει post θεοῦ Ε ‖ ἀνάπαυσιν] + τὴν ἐν μέλλοντι ὅ ἐστι
ὕπνος περὶ οὗ φησιν ὁ Δαυίδ · «ὅταν δῷ τοῖς ἀγαπητοῖς αὐτοῦ
ὕπνον» (Ps. 126, 2) Ε   τὴν ἐν τῷ μέλλοντι ὅ ἐστι ὕπνος Τ ‖ 12 εἰ
om. Β' ‖ 14 τοὺς¹ : τούτους Β' Ε ‖ τοιούτων [ο supra ω]
Τ   τοιούτους Ε ‖ 15 κακίας] + ἐν [om. Ε] πολλῷ πλούτῳ ΕΤ ‖
διαναπαύεσθαι Ε ‖ ὁ om. Τᵗˣ [rest. Τˢˡ] ‖ 17 Μωσῆς Αᵖᶜ
Τ   Μωϋσῆς Ε ‖ 18 ἔθνη ὁ ὕψιστος Β' ‖ ὡς [οὓς Α] — Ἀδάμ Α
Ε : om. Β' Τ ‖ 18-19 ἔστησεν ὅρια ἐθνῶν om. Β' ‖ 19 κατὰ
ἀριθμὸν ἀγγέλων θεοῦ om. Β' Τ ‖ 21 ἀγρός : ὁ ἀ. Β' ‖ 23 τὴν om.
Ε ‖ ἐστιν ἄλλη : ἄλλη ἐστὶν Β' Τ   ἄλλη Ε ‖ 24 τῆς φύσεως τῆς
λογικῆς : τῆς λογ. φύσ. Α ‖ 26 γάρ] + ἐστι Α ‖ φησίν post ἔθνη
Β' Ε om. Τ.

Lemme biblique. La construction du verset 8 est problématique.
Trois possibilités se présentent : considérer que l'on a une proposition
unique, considérer que l'on a deux propositions dont la seconde est

et le courage et qui ont été les serviteurs de la justice, il
donnera la science de Dieu et un doux repos, qu'ils aient
eu la science d'un petit nombre ou d'un grand nombre
des raisons des réalités d'ici-bas, ayant eu une science
partielle et ayant délivré une prophétie partielle[c]. Voilà
la fin que ces derniers atteindront, tandis que les premiers qui se sont rassasiés de malice, le ver qui est
engendré d'elle ne les laissera pas en repos. Que le Seigneur ait confié ce monde aux anges, Moïse le montre
quand il dit : « Lorsque le Très-Haut partageait les
nations, comme il dispersait les fils d'Adam, il plaça les
limites des nations selon le nombre des anges de Dieu[d]. »
Notre Seigneur a, lui aussi, dans les Évangiles nommé
ce monde « champ » : « Le monde, dit-il, est un champ[e]. »
Il appelle « surabondance de la terre » la science de ce
qui est sur terre, s'il est vrai que « les doux seront bienheureux, parce qu'il auront la terre en héritage[f] »; et
quel autre héritage y a-t-il pour la nature raisonnable
que la science de Dieu ? Il a appelé « haut placés » les
anges, puisqu'ils ont part au Seigneur haut placé, car il
est dit : « Le Seigneur est plus haut que toutes les
nations[g]. »

---

elliptique (c'est ce parti qui a été retenu), faire commencer le verset à
ἐπὶ παντί ἐστι et rattacher καὶ περισσεία γῆς à ce qui précède (c'est la
solution adoptée par OLYMPIODORE [PG 93, 541 D et 544 A] et par
l'éditeur de la Catena Hauniensis [V, 114-115]). Dans le verset 9 nous
avons écrit τις (indéfini), comme Olympiodore et l'éditeur de la Catena
trium Patrum, et non τίς (interrogatif), comme Rahlfs. Avec τῷ παρ'
αὐτῆς, on rencontre dans le verset 10, pour la première fois, une tournure qui traduit le participe hébreu « possédant » (voir aussi Eccl. 5,
12 ; 7, 12 ; 8, 8 ; 12, 11). En grec classique ὁ παρά τινος signifie : celui
qui vient de la part de quelqu'un ; les commentateurs grecs sont malgré tout parvenus à retrouver l'idée de possession : cf. Évagre,
schol. 60 ad Eccl. 7, 12 (τὸν παρ' αὐτῆς est glosé par τὸν κεκτημένον
αὐτήν), DIDYME, ad Eccl. 7, 12, p. 320, l. 11 (la même expression est
glosée par τὸν μετέχοντα αὐτῆς). Ce retour au sens hébreu s'est fait
vraisemblablement par l'intermédiaire du texte de Symmaque, fréquemment cité (cf. Catena Hauniensis [V, 171-173]; OLYMPIODORE
[PG 93, 545 A 2-3]), qui a en Eccl. 5, 10 τῷ ἔχοντι αὐτήν et en Eccl. 8, 8

ἔχοντα αὐτήν. On notera que dans le *Coislin* le lemme d'*Eccl.* 5, 12 comporte aussi la leçon de Symmaque (voir l'Appendice, ci-dessous, p. 180).

Lignes 1-16. Le désordre actuel du monde ne doit pas conduire à nier la providence. Cf. aussi OLYMPIODORE (*PG* 93, 541 D - 544 A) : «Si donc, dit-il, tu vois les pauvres tyrannisés par les riches et par les escrocs..., ne pense pas que le monde soit sans providence (ἀπρονόητον).» Dans le système hiérarchisé d'Évagre les anges, intermédiaires entre le Créateur et les hommes, sont délégués à l'administration du monde ; cf. schol. 7 *ad Ps.* 16, 13 : «La main agissante de Dieu, ce sont les saints anges, par lesquels il exerce sa providence sur le monde sensible» (*Vaticanus gr. 754*, f. 62 : collation M.-J. Rondeau). Les anges ont une connaissance parfaite de ce qui se passe sur terre (selon la parole adressée à David par la femme de Teqoa en *II Sam.* 14, 20) ; cf. *KG* I, 23 ; schol. 6 *ad Ps.* 4, 7 ; schol. 7 *ad Ps.* 29, 8 ; *Gnostique* 16 : «C'est le propre de l'ange, en effet, que rien ne lui échappe de ce qui est sur terre» (trad. A. et C. Guillaumont). Pour l'utilisation du texte de *I Cor.* 13, 9-10, voir la scholie 8 *ad Ps.* 44, 10 : «Et maintenant l'Église du Seigneur a 'des vêtements brodés d'or',

---

5, 12   <ἔστιν ἀρρωστία ἣν εἶδον ὑπὸ τὸν ἥλιον,
πλοῦτον φυλασσόμενον τῷ παρ' αὐτοῦ εἰς κακίαν αὐτοῦ>

39. Τὸ μὲν πλῆθος τῆς κακίας νῦν ὑπὸ τοῦ πλούτου δηλοῦται · αὕτη δὲ ἡ κακία ὑπὸ τῆς ἀρρωστίας σημαίνεται. Πᾶς οὖν ὁ φυλάσσων ἑαυτῷ τοῦτον τὸν πλοῦτον οὐ γνώσεται σοφίαν θεοῦ οὐδὲ παραβαλεῖ καρδίαν αὐτοῦ εἰς
5 σύνεσιν οὐδὲ παραβαλεῖ αὐτὴν ἐπὶ νουθέτησιν τῷ υἱῷ αὐτοῦ [a] · οὐδὲ γὰρ ἐδέξατο ῥήσεις ἐντολῶν θεοῦ οὐδὲ ἔκρυψεν αὐτὰς ἐν τῇ καρδίᾳ αὐτοῦ [b].

a. Cf. Prov. 2, 2   b. Cf. Prov. 2, 1

A EHT   ἄλλως E   ⌐ 1 πλούτου : πλήθους A ‖ 2 αὕτη A   αὐτῇ H ‖ ἡ om. E ‖ 3 πᾶς οὖν ὁ φυλάσσων [+ ἐν H] ἑαυτῷ τοῦτον τὸν πλοῦτον A EH : τοῦτον οὖν ὁ φυλάσσων τῶν [ο supra ω] πλοῦτον T ‖ οὐ om. A ‖ 4 περιβαλεῖ E ‖ 5 οὐδὲ] + γὰρ T ‖ παραβαλῇ [ει supra ῇ] A   περιβαλεῖ E ‖ ἐπὶ : εἰς T ‖ 6 οὐδὲ γὰρ : καὶ γὰρ οὐδὲ T ‖ ῥῆσιν A ‖ ἐντολῆς T.

car elle a une science partielle et délivre une prophétie partielle ; mais
' quand viendra la perfection, ce qui est partiel sera abrogé ' : elle aura
alors des vêtements tout en or» (*Vaticanus gr. 754*, f. 124 : collation
M.-J. Rondeau).

Lignes 16-19. Cf. schol. 370 *ad Prov*. 29, 26 : Les anges «sont les
' guides ' auxquels nous avons été confiés dès l'origine, ' quand le Très-
Haut partageait les nations ' et quand ' il plaça les limites des nations
suivant le nombre de ses anges '», et schol. 189 *ad Prov*. 19, 4 : «Que
les anges aient la charge des hommes, le Seigneur l'enseigne dans les
Évangiles lorsqu'il dit : ' Gardez-vous de mépriser aucun de ces petits,
parce que leurs anges voient continuellement la face de mon Père qui
est aux cieux ' (*Matth*. 18, 10)». Sur la place de *Deut*. 32, 8 dans la
doctrine des anges des nations, cf. J. Daniélou, *Origène*, Paris 1948,
p. 222-235.

Lignes 19-21. L'exégèse symbolique s'autorise de la pratique du
Christ à propos de ses paraboles. Voir schol. 291 *ad Prov*. 24, 27.

Lignes 21-27. La terre et l'héritage symbolisent la science :
schol. 26 *ad Prov*. 2, 21 et 9 *ad Ps*. 36, 9, etc.

5, 12   *Il y a une infirmité que j'ai vue sous le soleil :*
une richesse gardée par son possesseur pour son
mal

39. L'abondance de malice est maintenant exprimée
par la richesse, et cette malice est désignée par l'infirmité. Quiconque garde donc pour lui cette richesse ne
connaîtra pas la sagesse de Dieu, et il n'inclinera pas
son coeur vers l'intelligence, il ne l'inclinera pas vers
l'instruction de son fils [a], car il n'a pas reçu les paroles
des commandements de Dieu et ne les a pas enfouies en
son coeur [b].

Procope : Τὸ πλῆθος τῆς κακίας νῦν ὑπὸ τοῦ πλούτου δηλοῦται· αὕτη δὲ ἡ κακία ὑπὸ τῆς ἀρρωστίας σημαίνεται. Τοῦτον οὖν τὸν πλοῦτον ὁ φυλάσσων οὐ γνώσεται σοφίαν θεοῦ.

Adest in N.

5, 13   < καὶ ἀπολεῖται ὁ πλοῦτος ἐκεῖνος ἐν περισ-
πασμῷ πονηρῷ*,
καὶ ἐγέννησεν υἱόν, καὶ οὐκ ἔστιν ἐν χειρὶ
αὐτοῦ οὐδέν >

40. Περισπασμὸς πονηρός ἐστιν ἄγνοια μετὰ κολάσεως ἀπὸ τῆς πνευματικῆς θεωρίας χωρίζουσα τὸν ἀκάθαρτον.

A EHT   39-40 concatenavit E   ⌐ 1 περισπασμὸς : πειρασμὸς [περισπ sl] A   πειρασμὸς δὲ E.

Selon le contexte, la présence ou l'absence d'épithète, le mot περισπασμός est susceptible de trois interprétations différentes : il y a une

---

5, 14   < καθὼς ἐξῆλθεν ἀπὸ γαστρὸς μητρὸς αὐτοῦ
γυμνός,
ἐπιστρέψει τοῦ πορευθῆναι ὡς ἥκει
καὶ οὐδὲν λήμψεται ἐν μόχθῳ αὐτοῦ,
ἵνα πορευθῇ ἐν χειρὶ αὐτοῦ.
15[1-2]   καί γε τοῦτο πονηρὰ ἀρρωστία·
ὥσπερ γὰρ παρεγένετο, οὕτως καὶ ἀπελεύσεται >

41. Καὶ ὁ Ἰὼβ φησιν· «αὐτὸς γυμνὸς ἐξῆλθον ἐκ κοιλίας μητρός μου, γυμνὸς καὶ ἀπελεύσομαι ἐκεῖ[a]»· ὁ δὲ ἐνταῦθα

a. Job 1, 21

A EHT   ⌐ 1 καὶ : ἀλλὰ καὶ E ‖ αὐτός φησιν E ‖ 2 ἐκεῖ om. H
‖ 2-4 ὁ δὲ — ἥκει post 5 πονηρίας/ἀγνωσίας [vide app. infra] T
om. EH.

Prise en mauvaise part, la richesse est un symbole de la malice et de l'ignorance : schol. 134 *ad Prov.* 13, 22 ; 345 *ad Prov.* 28, 8 ; 13 *ad Ps.* 9, 29. Sur ce que signifie «cacher les commandements dans son cœur», voir la scholie 18 *ad Prov.* 2, 1-2 (texte et note).

5,   13   *Et cette richesse sera perdue dans une mauvaise*
occupation;
(l'homme) a engendré un fils, et il n'y a rien
dans sa main

40. La mauvaise occupation est l'ignorance jointe à un châtiment, qui sépare l'impur de la contemplation spirituelle.

occupation spécifiquement humaine qui est en elle-même indifférente (schol. 15), une occupation mauvaise qui détourne de la science et s'accompagne d'un châtiment (schol. 4, 40 et 51), enfin une occupation conforme à la volonté de Dieu, qui détourne du monde sensible et conduit à la science (schol. 42 et 45).

5,   14   *Comme il est sorti du ventre de sa mère, nu,*
il s'en retournera pour aller comme il est venu,
et il ne retirera rien de sa fatigue
pour l'emporter dans sa main.
15[1-2]   *Et c'est encore une mauvaise infirmité,*
car, comme il est apparu, ainsi il s'en ira

41. Et Job dit : «Je suis moi-même sorti nu du sein de ma mère, nu aussi je m'en irai là-bas[a]»; quant à

«καθὼς ἐξῆλθεν ἀπὸ γαστρὸς μητρὸς αὐτοῦ γυμνός, ἐπιστρέψει τοῦ πορευθῆναι ὡς ἥκει». Ἀλλ᾽ ὁ Ἰὼβ μὲν ὡς
5 δίκαιος γυμνὸς ἄπεισι κακίας τε καὶ πονηρίας · οὗτος δὲ μεθ᾽
ἧς ἀγνοίας ἦλθεν εἰς τὸν κόσμον τοῦτον, μετὰ ταύτης καὶ
ἀπελεύσεται ἐκεῖ.

4 ἀλλ᾽ ὁ μὲν Ἰὼβ : ἀλλ᾽ ὁ Ἰὼβ Α om. Τ ‖ ὡς] + γὰρ Τ ‖ 5 ἄπεισι
post πονηρίας Η ‖ τε om. Ε ‖ πονηρίας : ἀγνωσίας ΕΤ ‖ οὗτος
δὲ : τουτέστιν Τ ‖ 6 εἰσῆλθεν ΕΤ ‖ μετ᾽ αὐτῆς ΗΤ ‖ 7 ἐπελεύ-
σεται [α supra ὲ] ἐκεῖ Α   ἐκεῖ ἀπελεύσεται Ε.

Le parallèle avec le livre de Job s'imposait, même si pour Évagre
les deux textes évoquent des situations spirituelles diamétralement
opposées. La scholie reprend presque littéralement le commentaire de
Job 1, 21 donné par CLÉMENT D'ALEXANDRIE en *Strom.* IV, 160, 1 :

5, 17 < ἰδοὺ ὃ εἶδον ἐγὼ ἀγαθόν, ὅ* ἐστιν καλόν,
           τοῦ φαγεῖν καὶ τοῦ πιεῖν
           καὶ τοῦ ἰδεῖν ἀγαθωσύνην
           ἐν παντὶ μόχθῳ αὐτοῦ,
           ᾧ ἐὰν μοχθήσῃ ὑπὸ τὸν ἥλιον,
           ἀριθμὸν ἡμερῶν ζωῆς αὐτοῦ,
           ὧν ἔδωκεν αὐτῷ ὁ θεός ·
           ὅτι αὐτὸ μερὶς αὐτοῦ.

18   καί γε πᾶς ἄνθρωπος ᾧ ἔδωκεν αὐτῷ ὁ θεὸς
           πλοῦτον καὶ ὑπάρχοντα καὶ ἐξουσίασεν αὐτὸν
           τοῦ φαγεῖν ἀπ᾽ αὐτοῦ καὶ λαβεῖν τὸ μέρος
                                                 αὐτοῦ
           καὶ τοῦ εὐφρανθῆναι ἐν μόχθῳ αὐτοῦ,
           τοῦτο δόμα θεοῦ ἐστιν.

19   ὅτι οὐ πολλὰ* μνησθήσεται τὰς ἡμέρας τῆς
                                                 ζωῆς αὐτοῦ ·
           ὅτι ὁ θεὸς περισπᾷ αὐτὸν ἐν εὐφροσύνῃ
                                 καρδίας αὐτοῦ >

l'homme mentionné ici, « il s'en retournera, comme il est
sorti du ventre de sa mère, nu, pour aller comme il est
venu ». Mais Job, en tant que juste, s'éloigne nu de
malice et de malignité, tandis que notre homme, qui est
venu en ce monde en compagnie de l'ignorance, s'en ira
là-bas avec elle aussi.

« Le juste Job dit : ' Je suis moi-même sorti nu du sein de ma mère, nu
aussi je m'en irai là-bas '. Ce n'est pas nu de possessions (οὐ κτημάτων
γυμνός) ..., mais, en tant que juste, nu de malice et de péché qu'il
s'éloigne (ἀλλ' ὡς δίκαιος γυμνὸς ἄπεισι κακίας τε καὶ ἁμαρτίας). » Le
même texte de Clément a été réutilisé par Évagre dans la scholie *ad
Job* 1, 21 : Ὁ Ἰὼβ ὡς δίκαιος γυμνὸς ἄπεισι κακίας καὶ ἁμαρτίας (*Pat-
miacus 171*, p. 44). Pour Évagre comme pour Clément, la nudité de
Job est le symbole de son impeccabilité et de sa perfection.

5, 17   *Voici ce que moi, j'ai vu de bon, ce qui est beau*
(pour l'homme),
  manger et boire,
  voir le bonheur
  dans toute sa fatigue,
  avec laquelle il se fatigue sous le soleil
  durant le nombre des jours de sa vie
  que Dieu lui a donnés,
  car c'est sa part.
 18   *Or tout homme à qui Dieu a donné*
  richesse et biens et à qui il a donné la faculté
  d'en manger et d'en prendre sa part
  et de se réjouir de sa fatigue,
  ce don vient de Dieu.
 19   *Car il ne se souviendra pas beaucoup des jours de*
sa vie ;
  car Dieu l'occupe avec la joie de son coeur

42. ʽΗ γνῶσις ἡ τοῦ θεοῦ λέγεται τοῦ νοῦ καὶ βρῶσις καὶ πόσις καὶ ἀγαθωσύνη καὶ μερὶς καὶ πλοῦτος καὶ ὑπάρχοντα καὶ εὐφροσύνη καὶ περισπασμὸς θεοῦ καὶ φῶς καὶ ζωὴ καὶ δόμα · καὶ πολλὰ ἕτερα ὀνόματα τίθησι τῇ γνώσει τὸ πνεῦμα
5 τὸ ἅγιον, ἅπερ νῦν καταλέγειν οὐ δυνατόν, μὴ συγχωροῦντος τοῦ τῶν σχολίων κανόνος.

AB EHT   ἄλλω(ς) T   B H : 5-6 ἅπερ — κανόνος desunt ⸥ 1 ἥ¹] + γὰρ B ‖ ἥ² om. E ‖ τοῦ² om. E ‖ καὶ¹ om. EHT ‖ 2 καὶ μερὶς post πλοῦτος T ‖ 4 δῶμα A   δόγμα ET ‖ καὶ] + ἄλλα B ‖ ὀνόματα : νοήματα E ‖ 5 νῦν : οὖν ET ‖ δυνατόν : δύναται A.

Selon une habitude que l'on retrouve ailleurs (cf. par ex. schol. 317 *ad Prov.* 25, 26), Évagre fournit une sorte de clé d'interprétation en

---

43. Πρὸς ἀντιδιαστολὴν τῶν λαβόντων μὲν πλοῦτον σοφίας καὶ γνώσεως [a], οὐ μὴν δὲ διαφυλαξάντων, εἴρηται τὸ «καὶ ἐξουσίασεν αὐτόν». Καὶ γὰρ ὁ προδότης Ἰούδας ἔλαβε πλοῦτον νοητὸν καὶ ὑπάρχοντα πνευματικά, ἀλλ' οὐκ
5 ἐξουσίασεν αὐτῶν, κέρδους ἕνεκεν προδεδωκὼς τὴν σοφίαν καὶ τὴν ἀλήθειαν τοῦ θεοῦ [b].

a. Cf. Rom. 11, 33   b. Cf. Matth. 26, 14-16

A EHT   ἄλλως E   ⸥ 1 λαμβανόντων A ET ‖ 2 δὲ : καὶ T om. H ‖ τὸ om. T ‖ 3 καὶ¹ : δὲ οὐκ E ‖ ἐξουσίασεν : ἐξουσίας ἐν T ‖ αὐτόν : αὐτῷ A T αὐτοῦ E ‖ γὰρ] + καὶ A ‖ Ἰούδας H ‖ ἔλαβε] + μὲν ET ‖ 4 ὕπαρξιν E ‖ πνευματικόν T -κήν E ‖ 5 ἐξουσίασεν : ἐξουσίαν ἐν A ‖ αὐτῶν : αὐτῷ A αὐτοῦ E ‖ κέρδους : οὐ κέρδους H κέρδος T ‖ 5-6 τὴν — θεοῦ : τὴν ἀλήθειαν τοῦ θεοῦ καὶ σοφίαν T.

42. La science de Dieu est considérée comme la nourriture et la boisson de l'intellect, comme son bonheur et sa part, sa richesse et son bien, sa joie et son occupation divine, sa lumière, sa vie et le don qu'on lui fait. L'Esprit Saint applique à la science encore bien d'autres noms, qu'il est maintenant impossible d'énumérer, car la règle des scholies ne le permet pas.

rassemblant plusieurs termes bibliques ayant la même valeur symbolique. A la différence de ce qui se passait dans la scholie aux Proverbes, les termes groupés ici proviennent tous du contexte proche. Sur la règle des scholies qui ne permet pas les longs développements, voir scholie 317 *ad Prov.* 25, 26 et 5 *ad Ps.* 88, 9 (textes traduits dans *Scholies aux Proverbes*, Introd., p. 13).

---

43. Pour qu'on distingue (cet homme) de ceux qui ont reçu la richesse de la sagesse et de la science [a], mais cependant ne l'ont pas conservée, il est dit : « Et il lui a donné la faculté ». Et en effet le traître Judas a reçu une richesse intelligible et des biens spirituels, mais il n'a pas eu la faculté d'en (disposer) puisqu'il a, en vue d'un gain, trahi la sagesse et la vérité de Dieu [b].

La formule πρὸς ἀντιδιαστολήν vient des grammairiens, et elle figure dans la *Lettre sur la Trinité* 3, l. 25 ; elle est fréquente chez Clément d'Alexandrie (voir A. Le Boulluec, *Clément d'Alex., Strom. V*, Comm. *ad* V, 26, 1, *SC* 279, p. 113) et chez Origène. L'idée exprimée ici est qu'il ne suffit pas de recevoir la sagesse pour en avoir la maîtrise (thème de l'ἐξουσία repris dans la scholie 60). Les diverses constructions du verbe ἐξουσιάζειν ont troublé les copistes. En *Eccl.* 5, 18, on a ἐξουσίασεν αὐτὸν τοῦ φαγεῖν et en *Eccl.* 6, 2 ἐξουσίασεν αὐτῷ φαγεῖν ; dans les textes de sa composition, Évagre emploie le verbe avec le génitif de la chose sur laquelle on a autorité.

44. "Οταν ἄνθρωπος παρὰ θεοῦ δέξηται γνῶσιν πνευματικήν, ὀλιγάκις μέμνηται τούτου τοῦ βίου καὶ τῆς
αἰσθητῆς ζωῆς, τῆς καρδίας αὐτοῦ ἀεὶ περὶ τὴν θεωρίαν
ἀσχολουμένης.

AB EHT   ⸏ 1 ἄνθρωπος : ὁ ἄν. B ‖ δέξηται παρὰ θεοῦ A ‖
θεοῦ : τοῦ θ. E ‖ δέξεται B ‖ 2 ὀλιγάκις : ὀλίγα T ‖ τούτου :
τοῦδε B ‖ 3 τὴν] + πνευματικὴν E ‖ 4 ἀσχολουμένης] + τὴν
πνευματικήν T.

Cf. le thème de l'oubli présent dans la scholie 3. L'expression περὶ

---

45. Περισπασμὸς θεοῦ ἐστι γνῶσις ἀληθὴς ἀπὸ τῶν
αἰσθητῶν πραγμάτων χωρίζουσα τὴν κεκαθαρμένην ψυχήν.

Adest in **AB ET**.

Le mot περισπασμός est ici pris en bonne part, comme le note aussi
JÉRÔME (p. 297, l. 210-211). Pour l'expression ἀπὸ τῶν αἰσθητῶν...

6, 1   <ἔστιν πονηρία ἣν εἶδον ὑπὸ τὸν ἥλιον,
        καὶ πολλή ἐστιν ἐπὶ τὸν ἄνθρωπον·
    2   ἀνὴρ ᾧ δώσει αὐτῷ ὁ θεὸς
        πλοῦτον καὶ ὑπάρχοντα καὶ δόξαν,
        καὶ οὐκ ἔστιν ὑστερῶν τῇ ψυχῇ αὐτοῦ
        ἀπὸ παντὸς οὗ ἐπιθυμεῖ,
        καὶ οὐκ ἐξουσιάσει αὐτῷ ὁ θεὸς φαγεῖν ἀπ᾽
                                            αὐτοῦ,
        ὅτι ἀνὴρ ξένος φάγεται αὐτά·
        καί γε τοῦτο ματαιότης καὶ ἀρρωστία πονηρά
                                            ἐστιν.
    3   ἐὰν γεννήσῃ ἀνὴρ ἑκατὸν καὶ ἔτη πολλὰ ζή-
                                            σεται,
        καὶ πλῆθος ὅ τι ἔσονται αἱ ἡμέραι ἐτῶν αὐτοῦ,
        καὶ ἡ ψυχὴ αὐτοῦ οὐκ ἐμπλησθήσεται ἀπὸ
                                            ἀγαθωσύνης,

44. Quand l'homme reçoit de Dieu la science spirituelle, il se souvient rarement de cette existence-ci et de la vie sensible, car son coeur s'applique continuellement à la contemplation.

θεωρίαν ἀσχολεῖσθαι est également présente en *Euloge* 31 (*PG* 79, 1136 A) ; on peut la rapprocher de l'expression ἐν θεωρίᾳ διατρίβειν qui se trouve en *Skemmata* 20 (= *KG Suppl.* 21) et qui est peut-être une réminiscence de CLÉMENT D'ALEXANDRIE, *Strom.* IV, 40, 1 (ὅταν... ἐνδιατρίψῃ τῇ θεωρίᾳ). Cf. aussi OLYMPIODORE (*PG* 93, 549 C 11-12) : οἱ περὶ τὰ πνευματικὰ ἐνασχολούμενοι.

---

45. L'occupation (qui vient) de Dieu est la science véritable qui sépare des objets sensibles l'âme purifiée.

χωρίζουσα, voir la fin de *Pratique* 66, ou la scholie 3 *ad Ps.* 126, 2 : « De même que le sommeil nous éloigne du sensible, de même la contemplation de Dieu nous sépare du sensible » (*Vaticanus gr. 754*, f. 319ᵛ : collation M.-J. Rondeau).

6, 1   *Il y a un mal que j'ai vu sous le soleil,*
       et il est grand pour l'homme :
   2   *un homme à qui Dieu donnera*
       richesse, biens et gloire,
       à qui rien ne manque à son âme
       de tout ce qu'il désire,
       et à qui Dieu ne donnera pas la faculté d'en man-
                                          ger,
       car un homme étranger le mangera.
       Cela encore est vanité et mauvaise infirmité.
   3   *Si un homme a engendré cent (enfants) et s'il vit*
                        de nombreuses années,
       quelque nombreux que soient les jours de ses
                                  années,
       si son âme ne se rassasie pas de bonheur

καί γε ταφὴ οὐκ ἐγένετο αὐτῷ,
εἶπα · ἀγαθὸν ὑπὲρ αὐτὸν τὸ ἔκτρωμα,
4   ὅτι ἐν ματαιότητι ἦλθεν καὶ ἐν σκότει
πορεύεται,
καὶ ἐν σκότει ὄνομα αὐτοῦ καλυφθήσεται,
5   καί γε ἥλιον οὐκ εἶδεν καὶ οὐκ ἔγνω,
ἀναπαύσεις τούτῳ ὑπὲρ τοῦτον.
6   καὶ εἰ ἔζησεν χιλίων ἐτῶν καθόδους
καὶ ἀγαθωσύνην οὐκ εἶδεν,
μὴ οὐκ εἰς τόπον ἕνα τὰ πάντα πορεύεται ; >

46. Ἐν τούτῳ τῷ κεφαλαίῳ λέγει περὶ τῶν ἀπαθείας
καταξιωθέντων καὶ γνώσεως καὶ πάλιν ἐκπεπτωκότων
φθόνῳ τοῦ διαβόλου [a]. Τὸ δὲ δεύτερον κεφάλαιον περιέχει
ἀνδρὸς ἀκαθάρτου καὶ πολύπαιδος βίον μακρὸν καὶ μὴ
5 ἐπεγνωκότος θεόν, οὗ καὶ προτιμότερον τὸ ἔκτρωμα τίθεται
εἶναι, καὶ τοῦ αὐτοῦ μετὰ θάνατον αὐτῷ τόπου τυγχάνον.

a. Cf. Sag. 2, 24

A EHT   E : 1-3 ἐν τούτῳ — διαβόλου ; 6 καὶ — τυγχάνον
desunt   T : 1-3 ἐν τούτῳ — διαβόλου desunt   H : 3-6 τὸ δὲ
— τυγχάνον desunt   ⏋ 4 πολύπαιδος [α supra ος] T ‖ 5
ἐπεγνωκότα T ‖ 6 αὐτῷ [ο supra ω] A : αὐτοῦ T ‖ τόπου A : τὸ
ποῦ T.

Ce qu'Évagre entend par premier chapitre comprend les versets
1-2 et par second chapitre les versets 3-6. La jalousie est une des
caractéristiques du diable et des démons (voir ζηλοτυπία dans la scholie 25). L'expression φθόνῳ διαβόλου s'inspire de *Sag.* 2, 24, où il est dit

47. Ὁ διαφθείρων τὸν πλοῦτον τὸν πλουτισθέντα ἐν πάσῃ
γνώσει καὶ πάσῃ σοφίᾳ [a] ὁ πονηρός ἐστιν, ὅντινα καὶ ξένον

a. Cf. I Cor. 1, 5

A EHT   T : 1-3 ὁ διαφθείρων — θεοῦ desunt   E : 3-8 τὸ δὲ
— ταῦτα desunt ; alterum frag. (8-10 οὗτος — προφήτης) cum
46 concatenavit cod.   ⏋ 1 τοῦ πλουτισθέντος H.

et s'il n'a même pas eu de tombeau,
je dis : Mieux que lui vaut l'avorton,
4   *car dans la vanité il est venu et dans les ténèbres il*
                                                s'en va ;
et par les ténèbres son nom sera recouvert ;
5   *et il n'a même pas vu le soleil et il ne l'a pas*
                                                connu ;
celui-ci a eu plus de repos que celui-là.
6   *Et s'il a vécu des cycles de mille ans*
et qu'il n'ait pas vu le bonheur...
Est-ce que tout ne va pas vers un lieu unique ?

46. Dans ce chapitre il parle de ceux qui sont devenus dignes de l'impassibilité et de la science et qui sont à nouveau tombés du fait de l'envie du diable[a]. Le second chapitre contient la longue vie de l'homme impur et prolifique qui n'a pas reconnu Dieu, par rapport auquel (le sort de) l'avorton est jugé préférable, même si ce dernier obtient après la mort le même lieu que lui.

que « par la jalousie du diable la mort est entrée dans le monde ». Le thème de la déchéance est repris dans la scholie suivante sous la figure de David adultère. Dans l'*Homélie VII sur les Nombres* (§ 3), Origène considère que le mot « avorton » est ici pris en bonne part (ce qui n'est pas le cas en *Nombr.* 12, 12) : « L'Ecclésiaste ne prétend pas que l'avorton soit bon absolument parlant, mais qu'il est meilleur qu'une vie passée ' dans la vanité ' et ' dans les ténèbres ' de l'ignorance ; il institue une comparaison entre ces deux choses » (trad. Méhat, *SC* 29).

---

47. Celui qui détruit la richesse amassée en toute science et en toute sagesse[a] est le Malin, qu'il nomme

καὶ ἀλλότριον λέγει τῆς γνώσεως τοῦ θεοῦ. Τὸ δὲ φαγεῖν
λέγεται καὶ ἐπὶ τῆς βρώσεως καὶ ἐπὶ τῆς διαφθορᾶς· «ἐὰν
5 θέλητε καὶ εἰσακούσητέ μου, φησί, τὰ ἀγαθὰ τῆς γῆς
φάγεσθε· ἐὰν δὲ μὴ θέλητε μηδὲ εἰσακούσητέ μου, μάχαιρα
ὑμᾶς κατέδεται — ἀντὶ τοῦ διαφθερεῖ. Τὸ γὰρ στόμα κυρίου
ἐλάλησε ταῦτα[b].» Οὗτος δὲ ὁ ξένος καὶ πρὸς τὸν Δαυὶδ
ἐλθὼν πέπεικεν αὐτὸν θῦσαι τὴν ἀμνάδα τοῦ πένητος·
10 ξένον γὰρ αὐτὸν ὠνόμασε τότε καὶ Νάθαν ὁ προφήτης[c].

b. Is. 1, 19-20   c. Cf. II Sam. 12, 3-4

3 καὶ ἀλλότριον om. E ‖ 4 ἐὰν] + γὰρ Τ ‖ 5 καὶ om. Η ‖ εἰσακού-
σεταί μου Η ‖ φησί ante καὶ Τ om. Η ‖ 6 εἰσακούσηταί μου Η ‖
7 ἀντὶ τοῦ διαφθερεῖ [-φθείρει Α] Α Η : om. Τ ‖ 7-8 τὸ γὰρ
στόμα — ταῦτα om. Η ‖ 8 ξένος] + ἤγουν ὁ διάβολος Ε ‖ 9
ἀπελθὼν πέποικεν ΕΤ ‖ θῦσαι] + αὐτῷ Ε ‖ 10 τότε om. ΗΤ
[rest. Τ[sub l]] ‖ Νάθαν [τ supra θ] Τ.

Lignes 1-3. Chez Évagre, les allusions scripturaires à *I Cor.* 1, 5
comportent toujours la leçon ἐν πάσῃ γνώσει καὶ πάσῃ σοφίᾳ au lieu
de : ἐν παντὶ λόγῳ καὶ πάσῃ γνώσει. Il est possible que le texte de
l'Épître aux Corinthiens ait été contaminé par celui de *Rom.* 11, 33
qui évoque «l'abîme de la richesse de la sagesse et de la science de

---

6, 7   < πᾶς μόχθος τοῦ ἀνθρώπου εἰς στόμα αὐτοῦ,
καί γε ψυχὴ οὐ πληρωθήσεται >

48. Πᾶσα κακία τοῦ ἀνθρώπου μένει ἐν τῇ καρδίᾳ αὐτοῦ,
καὶ οὐ μὴ εἴπῃ τὸ «ἐκ τοῦ πληρώματος αὐτοῦ ἡμεῖς πάντες
ἐλάβομεν[a]».

a. Jn 1, 16

A ΕΗΤ   ἄλλω(ς) Τ   ⌐ 1 πᾶσα [+ ἡ Η] κακία τοῦ ἀνθρώπου
μένει [γέμει Η] ἐν τῇ καρδίᾳ αὐτοῦ Α Η : ἐν τῇ καρδίᾳ αὐτοῦ
ἀπομένῃ ἡ κακία τοῦ [αὐτοῦ Τ] συναπολέσθαι αὐτῷ ΕΤ ‖ αὐτοῦ :
αὐτῷ + ἡ δὲ ψυχὴ αὐτοῦ οὔπω [ποτε Τ] πληρωθήσεται [πεπλη. Ε]
σοφίας θεοῦ ΕΤ ‖ 2 καὶ οὐ : οὐδὲ ΕΤ ‖ τὸ om. ΕΤ.

«étranger» et extérieur à la science de Dieu. Le verbe «manger» se dit aussi bien de la nourriture que de la destruction : «Si vous voulez bien et si vous m'écoutez, est-il dit, vous mangerez les bonnes choses de la terre. Mais si vous ne voulez pas et ne m'écoutez pas, une épée vous dévorera — au lieu de : (vous) détruira. La bouche du Seigneur a dit ces paroles[b].» Cet étranger est aussi venu vers David pour le persuader de sacrifier l'agnelle du pauvre, car à ce moment-là le prophète Nathan aussi l'a nommé «étranger»[c].

Dieu» (selon le texte de certains mss qui n'ont pas καὶ avant σοφίας). Voir schol. 155 *ad Prov*. 17, 6a et 237 *ad Prov*. 22, 7.

Lignes 3-8. Pour l'emploi par la Septante du verbe manger au sens de détruire, voir la scholie 1 *ad Ps*. 26, 2 qui s'appuie également sur le texte d'Isaïe.

Lignes 8-10. Dans la parabole que le prophète Nathan prononce devant David, l'agnelle du pauvre signifie tout aussi bien Urie envoyé à la mort par David que Bethsabée qu'il a prise pour femme. La chute de David est aussi évoquée par Évagre dans l'exégèse du psaume 50 prononcé, ainsi que l'indique le titre, par David après son adultère (voir fin de la scholie 12 *ad Prov*. 1, 20-21 et les scholies 5-6 *ad Ps*. 50, 20).

6, 7 *Toute la fatigue de l'homme est pour sa bouche, et cependant l'âme ne sera pas remplie*

48. Toute la malice de l'homme demeure dans son coeur, et il ne dira pas le verset : « De sa plénitude nous avons tous reçu[a]. »

Opposition entre la vacuité du mal et la plénitude de la science. Voir schol. 2 *ad Ps*. 7, 5. La «plénitude du Christ» de *Jn* 1, 16 est définie, dans la *Lettre* 61 (p. 610, l. 19-21), comme «la science spirituelle des mondes qui ont été produits et qui le seront, accompagnée de la foi véritable en la sainte Trinité».

6, 8   < ὅτι τίς περισσεία τῷ σοφῷ ὑπὲρ τὸν ἄφρονα ;
διότι ὁ πένης οἶδεν πορευθῆναι κατέναντι
τῆς ζωῆς >

49. Τῆς εἰπούσης · « ἐγώ εἰμι ἡ ζωή [a]. »

a. Cf. Jn 11, 25 ; 14, 6

A ET   ⌉ ante τῆς [om. E] εἰπούσης add. lemma οἶδεν
πορευθῆναι κατέναντι τῆς ζωῆς ET.

PROCOPE : Ζωῆς δὲ τῆς εἰπούσης · « ἐγώ εἰμι ἡ ζωή [a] ».

NT² — Εὐαγρίου Τ².

6, 9   < ἀγαθὸν ὅραμα ὀφθαλμῶν ὑπὲρ πορευόμενον
ψυχῇ,
καί γε τοῦτο ματαιότης καὶ προαίρεσις πνεύματος >

50. Ἀγαθὸς ὁ ἀκολουθῶν γνώσει θεοῦ ὑπὲρ τὸν
ἀκολουθοῦντα τοῖς θελήμασι τῆς ψυχῆς · ἢ ἀγαθὸν γνῶσις
θεοῦ ὑπὲρ ἡδονὴν φθαρτήν. Κατὰ δὲ τὸν Σύμμαχον · βέλτιον
πρὸς τὸν μέλλοντα βλέπειν ἢ ἐπὶ τοῖς παροῦσιν
5 εὐφραίνεσθαι.

A EHT Syr (= codex syro-hexaplaris *Ambrosianus C 313 inf.*)
ἄλλος Α   ἄλλω(ς) Τ   ⌉ 1 ἀγαθός : καὶ ἀ. ΕΤ ‖ γνῶσιν ΕΤ ‖
1-3 ὑπὲρ — θεοῦ Η cf. Syr : om. (homoeot.) A ET ‖ 4 τὸν : τὰ
ΕΤ.

PROCOPE : Ἀγαθὸς ὁ ἀκολουθῶν γνώσει θεοῦ ὑπὲρ τὸν ἀκολουθοῦντα
τοῖς θελήμασι τῆς ψυχῆς · ἢ ἀγαθὸν γνῶσις θεοῦ ὑπὲρ ἡδονὴν φθαρτήν · καὶ
βέλτιον πρὸς τὰ μέλλοντα βλέπειν ἢ ἐπὶ τοῖς παροῦσιν εὐφραίνεσθαι.

NT² — ἄλλω(ς) Τ². — 1 ἀγαθός : ἢ ἀ. Ν ‖ 2 τῆς om.Τ²ᵗˣ [rest.
Τ²ˢˡ] ‖ καὶ : ἢ Ν.

6, 8 *Quelle supériorité a en effet le sage sur l'insensé?*
C'est que le pauvre sait aller devant la vie

49. Qui a dit : «Je suis la vie[a].»

Le pauvre, identifié au sage du stique précédent, parvient à la vie véritable qui est donnée par le Christ. Une telle exégèse suppose une interprétation négative de la richesse (cf. schol. 14 et 39).

6, 9 *Mieux vaut vision des yeux que celui qui suit son*
âme,
car cela aussi est vanité et choix de l'esprit

50. Celui qui suit la science de Dieu vaut mieux que celui qui suit les volontés de son âme ; ou bien : Mieux vaut la science de Dieu que le plaisir corruptible. Selon Symmaque : Il est préférable de regarder vers l'avenir plutôt que de se réjouir du présent.

Le texte qui est attribué à Symmaque ne correspond pas à celui qui est édité par Field, t. II, p. 391 (Βέλτιον προβλέπειν ἢ ὁδεύειν αὐταρεσκείᾳ : « Il est préférable de prévoir plutôt que de cheminer selon son caprice »), texte également attesté dans le commentaire de ce verset par Jérôme, p. 299, l. 71-72 *(Melius est providere, quam ambulare, ut libet)*, et par la Syro-hexaplaire, et figurant parmi les leçons hexaplaires du *Coislin 193* (voir l'Appendice, ci-dessous, p. 180). Évagre n'a pas recours aux autres interprètes de la Bible, ainsi que le faisait Origène et ainsi que le fait encore à son époque Didyme ; nous avons une seule autre mention de Symmaque, dans la scholie 2 *ad Ps.* 72, 4. L'expression τοῖς θελήμασι τῆς ψυχῆς (d'inspiration biblique ?) apparaît également dans la *Catena Hauniensis* (VI, 118) ; sur les volontés de l'âme, voir aussi la scholie 27.

51. Οὐ πᾶσι δὲ τοῖς ἐν τῷ κεφαλαίῳ ἐφαρμόζειν τὴν ματαιότητα καὶ τὸν περισπασμὸν τὸν πονηρὸν καὶ τὴν προαίρεσιν τοῦ πνεύματος προσήκει, ἀλλὰ τοῖς μὲν ψεκτοῖς πράγμασιν ἐφαρμόζειν, τοῖς δὲ ἐπαινετοῖς μὴ ἐφαρμόζειν.
5 Τοῦτο δὲ λέγω διὰ τὸ μὴ παντὶ τῷ κεφαλαίῳ ἐπιφέρειν αὐτὸν κατὰ κοινοῦ τὴν ματαιότητα καὶ τὸν περισπασμὸν καὶ τὴν προαίρεσιν τοῦ πνεύματος, ἐν ᾧ καὶ ἐπαινετά τινα πράγματα ἐνυπάρχει· οὐ γὰρ ὁ πένης ματαιότης ἐστὶν ὁ πορευόμενος κατέναντι τῆς ζωῆς, ἀλλ᾽ ὁ ζήσας χιλίων ἐτῶν
10 καθόδους καὶ ἀγαθωσύνην μὴ θεασάμενος· οὐδ᾽ αὖ πάλιν τὸ ἀγαθὸν ὅραμα τῶν ὀφθαλμῶν ἐστι ματαιότης, ἀλλ᾽ ὁ πορευόμενος τῇ ψυχῇ.

A EHT ⌐ 1 δὲ : δεῖ ET om. H ‖ 3 προσήκει om. ET ‖ 4 πράγμασιν]+προσήκει H ‖ τοῖς δὲ — ἐφαρμόζειν om. ETᵗˣ [rest. Tᵐᵍ ⁱⁿᶠ] ‖ 5 μὴ om. ET ‖ παντὶ : πάντη A ‖ 6 κατὰ κοινοῦ om. T ‖ τὸν om. T ‖ 8 ὑπάρχει A ‖ 9 ἀλλ᾽ : ἀλλὰ H ‖ 10 καθόδους : περιόδους H ‖ 12 ψυχῇ : ἀφροσύνη E τῆς ψυχῆς ἀφροσύνη T.

6, 10 < εἴ τι ἐγένετο, ἤδη κέκληται* ὄνομα αὐτοῦ,
καὶ ἐγνώσθη ὅ ἐστιν ἄνθρωπος,
καὶ οὐ δυνήσεται τοῦ κριθῆναι μετὰ τοῦ
ἰσχυροῦ ὑπὲρ αὐτόν·
11   ὅτι εἰσὶν λόγοι πολλοὶ πληθύνοντες ματαιότητα.
τί περισσὸν τῷ ἀνθρώπῳ;
12   ὅτι τίς οἶδεν τί ἀγαθὸν τῷ ἀνθρώπῳ ἐν τῇ ζωῇ,
ἀριθμὸν ἡμερῶν ζωῆς ματαιότητος αὐτοῦ;
καὶ ἐποίησεν αὐτὰς ἐν σκιᾷ·
ὅτι τίς ἀπαγγελεῖ τῷ ἀνθρώπῳ
τί ἔσται ὀπίσω αὐτοῦ ὑπὸ τὸν ἥλιον,
καὶ καθὼς ἔσται*, τίς ἀπαγγελεῖ αὐτῷ; >

51. Ce n'est pas à tout ce qui se trouve dans le chapitre qu'il convient de rattacher la vanité, la mauvaise
occupation et le choix de l'esprit, mais il faut les rattacher aux choses blâmables et ne pas les rattacher aux
choses louables. Je dis cela parce qu'il n'applique pas à
tout le chapitre en bloc la vanité, l'occupation et le
choix de l'esprit, et que dans le chapitre il y a aussi des
choses louables. Car ce n'est pas le pauvre qui va
devant la vie qui est vanité, mais celui qui a vécu des
cycles de mille ans sans avoir contemplé le bonheur ; ce
n'est pas non plus la bonne vision des yeux qui est
vanité, mais celui qui suit son âme.

Évagre limite la portée d'application de la vanité. Pour l'emploi du
verbe ἐφαρμόζειν, voir aussi schol. 7 *ad Ps.* 15, 8-11.

6,   10   *Ce qui s'est produit, un nom lui a déjà été donné,*
            et on a su ce qu'était l'homme ;
            et il ne pourra pas être jugé avec plus fort que lui.
        11   *Car de nombreuses paroles multiplient la vanité ;*
            Quoi de plus pour l'homme ?
        12   *Qui sait, en effet, ce qui est bon pour l'homme*
                                pendant la vie,
            durant le nombre des jours de sa vie de vanité
            qu'il a passés dans l'ombre ?
            Qui, en effet, annoncera à l'homme
            ce qui sera après lui sous le soleil ?
            Et comment il sera, qui (le) lui annoncera ?

52. Τῶν ὀνομάτων τὰ μὲν τῆς σωματικῆς ἐστι φύσεως,
τὰ δὲ τῆς ἀσωμάτου· καὶ τὰ μὲν τῆς σωματικῆς φύσεως
ὀνόματα σημαίνει τὴν ἑκάστου πράγματος ποιότητα, ἥτις
συνίσταται ἐκ μεγέθους καὶ χρώματος καὶ σχήματος· τὰ δὲ
5 τῶν ἀσωμάτων ὀνόματα δηλοῖ τὴν ἑκάστου λογικοῦ κατάστασιν, ἤτοι ἐπαινετὴν οὖσαν ἢ ψεκτήν· ἀλλὰ τὰ μὲν
πρότερα ὀνόματα ἁπλῶς τοῖς πράγμασι τέθειται, τὰ δὲ
δεύτερα οὐχ ἁπλῶς· τῆς γὰρ προαιρέσεως ἤρτηται. Τοῦ γὰρ
αὐτεξουσίου ἐστὶ τὸ ῥέψαι πρὸς ἀρετὴν καὶ καταξιωθῆναι
10 γνώσεως τῆς ποιούσης αὐτὸν ἄγγελον ἢ ἀρχάγγελον ἢ
θρόνον ἢ κυριότητα[a] ἢ ῥέψαι πρὸς κακίαν καὶ πλησθῆναι
ἀγνοίας τῆς ποιούσης αὐτὸν δαίμονα ἢ σατανᾶν ἢ ἄλλον τινὰ
κοσμοκράτορα τοῦ σκότους τούτου[b]. Εἴ τι οὖν, φησίν,
γέγονε κατὰ τὸν τῆς κοσμοποιίας καιρόν, ἔλαβεν ὄνομα ση-
15 μαῖνον αὐτοῦ τὴν κατάστασιν, ἔλαβε δὲ καὶ ὁ ἄνθρωπος τὸ
οἰκεῖον τῆς καταστάσεως αὐτοῦ ὄνομα. Μὴ τοίνυν λεγέτω,
φησίν, ὁ ἄνθρωπος· τίνος χάριν τοιούτῳ σώματι συν-
εζεύχθην καὶ διὰ τί μὴ γέγονα ἄγγελος, εἰ μὴ ἄρα προσωποληψία ἐστὶ παρὰ τῷ θεῷ[c] ἢ αὐτεξούσιοι οὐ γεγόναμεν; οἱ
20 γὰρ τοιοῦτοι λόγοι πληθύνουσι ματαιότητα. Πῶς δὲ ἐρεῖ καὶ
τὸ πλάσμα τῷ πλάσαντι· τί με ἐποίησας οὕτως; ἢ πῶς
ἀνταποκρίνεται τῷ θεῷ[d]; ἀλλὰ τούτων μὲν παυσάσθω τῶν
λόγων, τὰ δὲ συντελοῦντα πρὸς ἀρετὴν καὶ γνῶσιν ποιείτω,
ἐφ' ὅσον ἐστὶν ἐν τῷ σκιώδει τούτῳ αἰῶνι, πάντα τὰ τῇδε

a. Cf. Col. 1, 16   b. Cf. Éphés. 6, 12   c. Cf. Rom. 2, 11 ;
Éphés. 6, 9   d. Cf. Rom. 9, 20

Α ΕΗΤ   ἄλλως Ε   Γρη(γορίου) Νύ(σσης) Η   ⌐ 1 τῶν]
+ γὰρ Η ‖ ὀνομάτων : ὁμμάτων Ε ‖ μὲν] + τῶν Η ‖ ἐστι
om. Η ‖ ΄4 καὶ¹ om. Τ ‖ 5 δηλοῦν Τ ‖ λογικὴν Τ ‖ 6 ἤτοι : εἴτε Ε
‖ ἢ] + καὶ Τ ‖ 8 γὰρ¹] + ἐμῆς Ε ‖ 9 ῥέψαι : ῥεῦσαι Α Ε   τρέψαι
Η ‖ πρὸς : εἰς Τ ‖ 10-11   ἢ ἀρχάγγελον — κυριότητα om. Η ‖
11 ῥέψαι : ῥεῦσαι Α ΕΤ ‖ κακίαν] + πάλιν Α ‖ 12 ἀνοίας Α ‖
12-13 ἢ σατανᾶν — τούτου om. Η ‖ 13 σκότους] + τοῦ αἰῶνος Τ
‖ 14-15 σημαίνων Η ‖ 15 αὐτοῦ : αὐτὸ Α ‖ κατάστασιν : ἀνάστα-
σιν Τ ‖ 17-18 συνεζύγην Ε ‖ 19 ἢ αὐτεξούσιοι οὐ γεγόναμεν om.
Η ‖ 20 γὰρ] + τὸ Τ ‖ 20-22 πῶς — θεῷ om. Η ‖ 20 καὶ ἐρεῖ Τ ‖
21 ἐποίησεν Ε ‖ 22 παυσώμεθα Η ‖ 23 πρὸς : εἰς Τ.

52. Certains noms se rapportent à la nature corporelle, d'autres à la nature incorporelle. Les noms de la nature corporelle désignent la qualité de chaque objet, laquelle se compose de grandeur, de couleur et de forme ; les noms des incorporels montrent l'état de chaque être raisonnable, état soit louable soit blâmable. Mais les premiers noms sont simplement appliqués aux objets, ce qui n'est pas le cas des seconds, car ceux-ci dépendent d'un choix préalable. Le rôle du libre arbitre est d'incliner vers la vertu et d'être jugé digne de la science qui fait de (l'être raisonnable) un ange ou un archange, un trône ou une seigneurie [a], ou bien d'incliner vers le mal et de se remplir de l'ignorance qui fait de lui un démon ou un Satan ou quelque autre dominateur de ce monde de ténèbres [b]. Tout ce qui, dit-il, a été produit au moment de la création du monde a reçu un nom qui désigne son état ; l'homme aussi a reçu un nom approprié à son état. Que l'homme donc, dit-il, ne demande pas : Pour quelle raison ai-je été joint à un tel corps et pourquoi n'ai-je pas été fait ange ? Serait-ce qu'il y a de la partialité auprès de Dieu [c] ou que nous ne sommes pas doués de libre arbitre ? De telles paroles multiplient en effet la vanité. Comment l'être façonné dira-t-il à celui qui l'a façonné : Pourquoi m'as-tu fait ainsi ? Ou comment répliquera-t-il à Dieu [d] ? Mais qu'il mette un terme à ces paroles, et qu'il fasse ce qui contribue à (acquérir) la vertu et la science, tant qu'il est dans ce siècle d'ombre, pensant que tout ce qui est ici-bas est

25 μάταια καὶ σκιὰν λογιζόμενος καὶ ὡς λήθη καλυφθήσεται[e]
τὰ τοῦ βίου τούτου μετὰ τὴν ἔξοδον.

e. Cf. Eccl. 6, 4

25 σκιὰν : σκολιὰ H ‖ λήθη : ἀληθῆ Τ.

Lignes 1-8. Distinction entre les noms qui désignent les propriétés
des objets et des corps et ceux qui désignent la qualité morale des
êtres. Les noms de la seconde sorte sont liés à un choix préalable
effectué par les êtres en question. Nous ne sommes pas ici dans la
problématique de l'origine conventionnelle ou naturelle des noms. Le
choix n'est pas le fait de celui qui applique les noms, mais de celui qui
les reçoit.

Lignes 8-26. Tout ce passage rappelle les thèmes abordés par ORI-
GÈNE dans les chapitres du *De principiis* consacrés aux natures raisonnables (Livre I, 5-8) : la constitution des divers ordres de créatures
n'a fait que sanctionner le mouvement de leur libre arbitre, et Dieu ne
saurait en aucune façon être accusé de partialité. Voir plus particulièrement *De princ.* I, 8, 1 : « Il ne faut pas songer que tout cela se
soit produit par hasard et fortuitement, ni que ces anges aient été

7, 1   < ἀγαθὸν ὄνομα ὑπὲρ ἔλαιον ἀγαθὸν
καὶ ἡμέρα τοῦ θανάτου ὑπὲρ ἡμέραν γενέσεως
αὐτοῦ >

53. Τὰ ὀνόματα τῇ ἰδίᾳ φύσει οὔτε ἀγαθά ἐστιν οὔτε
πονηρά · ἀπὸ γὰρ διαφόρων συνέστηκε γραμμάτων, οὐδεμία
δὲ γραμμή ἐστιν ἀγαθὴ ἢ κακή · τιθέμενα δὲ πράγμασιν
ἀγαθοῖς λέγεται ἀγαθὰ καὶ πονηροῖς πονηρά. Ἐνταῦθα οὖν
5 τὸ ὄνομα τὸ ἀγαθὸν πρᾶγμα σημαίνει ἀγαθόν · οὐδὲν δὲ τῶν
γεγονότων ἀγαθὸν λέγει ὁ Σολομὼν εἰ μὴ ἀρετὴν καὶ γνῶσιν

A EHT   ἄλλως E   ἄλλο(ς) H   H : 1-7 τὰ ὀνόματα —
θεοῦ desunt   ⌐2 γραμμῶν ET ‖ 3 δὲ¹ om. E ‖ ἔστιν om. ET ‖
ἀγαθὴ ἢ om. A ‖ πράγμασιν : γράμμασιν A ‖ 4 λέγονται E.

vanité et ombre et que les faits de cette vie seront
recouverts[e] par l'oubli après la mort.

faits tels par nature, pour ne pas accuser en cela aussi le Créateur de
partialité : la décision est intervenue selon les mérites et les vertus,
selon la vigueur et les talents de chacun, par le très juste et très
impartial gouverneur de l'univers» (trad. Crouzel-Simonetti, *SC* 252).
La leçon ῥέψαι s'impose contre la leçon ῥεῦσαι qui est pourtant mieux
attestée par la tradition manuscrite ; l'image du flux est peu adaptée à
l'évocation du mouvement du libre arbitre, tandis que celle de l'incli-
naison, du mouvement de la balance, est tout à fait habituelle ; cf.
Pensées 31 (*PG* 40, ch. 65, 1240 A) : ὁ ἐκ τῆς ἡμετέρας προαιρέσεως
ῥεπούσης ἐπὶ τὸ κρεῖττον, et l'emploi fréquent du mot ῥοπή (schol. 217
ad Prov. 20, 23 et 318 *ad Prov.* 25, 28 ; 1 *ad Ps.* 59, 1, etc.). Puisque la
constitution des divers ordres de créatures est le résultat de la liberté
des êtres et du juste jugement du créateur, il n'y a pas de place pour
la contestation ; cf. *KG* IV, 60 : «A ceux qui blasphèment contre le
Créateur et parlent mal de ce corps de notre âme, qui montrera la
grâce qu'ils ont reçue, alors qu'ils sont passibles, d'avoir été joints à
un tel *organon* ? » (trad. A. Guillaumont). Considérer que Dieu est partial est donné comme une forme d'orgueil en *Skemmata* 49.

7, 1   *Un bon nom est préférable à une bonne huile,*
et le jour de sa mort est préférable au jour de sa
naissance

53. Les noms par leur nature propre ne sont ni bons
ni mauvais, car ils sont composés de différentes lettres,
et aucune lettre n'est bonne ou mauvaise. Appliqués à
des réalités bonnes, ils sont dits bons, à des mauvaises,
mauvais. Ici donc le «bon nom» désigne une réalité
bonne, et Salomon n'appelle bonne aucune réalité créée,
autre que la vertu et la science de Dieu. L'huile mainte-

θεοῦ. Τὸ δὲ ἔλαιον νῦν τὴν σωματικὴν σημαίνει τρυφὴν ἥτις τοῖς τρυφῶσι φαίνεται εἶναι ἀγαθή. Τὸ μὲν γὰρ ἀγαθὸν τῇ φύσει λέγεται εἶναι ἀγαθὸν ὡς ἡ ἀρετή, τὸ δέ τισιν ὡς ὁ χρυσὸς καὶ ὁ ἄργυρος · οὕτω καὶ ὁ πλούσιος τὰ ἀγαθὰ αὐτοῦ ἀπέλαβεν ἐν τῇ ζωῇ αὐτοῦ «καὶ Λάζαρος ὁμοίως τὰ κακὰ ᵃ». Ὅτι δὲ τὸ ἔλαιον ἀντὶ τρυφῆς παραλαμβάνεται, παρίστησιν ὁ Δαυὶδ λέγων περὶ τῶν ἀνθρώπων ὅτι «ἀπὸ καρποῦ σίτου καὶ οἴνου καὶ ἐλαίου αὐτῶν ἐπληθύνθησαν ᵇ».

a. Cf. Lc 16, 25   b. Ps. 4, 8

7 δὲ om. H ‖ τὴν — τρυφὴν : τὴν τρυφὴν τὴν σωματικὴν σημαίνει H ‖ 7-8 ἥτις — ἀγαθή om. H ‖ 8 μὲν γὰρ : γὰρ ΕΤ   δὲ H ‖ τῇ : τὸ μὲν τῇ ΕΤ   τὸ μὲν H ‖ 9 φύσει — ἀγαθὸν : ἐστι φύσει H ‖ 10 καὶ ὁ ἄργυρος : τοῖς φιλαργύροις H ‖ καὶ² om. H ‖ τὰ ἀγαθὰ αὐτοῦ post 11 ἀπέλαβε H ‖ 11 καὶ — κακά om. H ‖ ὁμοίως om. ΕΤ ‖ 12 παραλαμβάνεται om. H ‖ 12-13 παρίστησιν — ὅτι [ὅτι om. E] A ΕΤ : φησὶν ὁ Δαυίδ H ‖ 14 καὶ¹ om. ΕΗ ‖ αὐτῶν [αὐτοῦ A T] ἐπληθύνθησαν A ΕΤ : om. H.

Procope : Οὐδὲν ὄνομα κατὰ φύσιν ἀγαθὸν ἢ κακόν · πρὸς δὲ τὰ ση-μαινόμενα κακὸν ἢ ἀγαθὸν λέγεται. Νῦν οὖν ἀγαθὸν πρᾶγμα σημαίνει · οὐδὲν δὲ λέγει τῶν γεγονότων ἀγαθὸν Σολομῶν εἰ μὴ ἀρετὴν καὶ γνῶσιν θεοῦ, τὴν σωματικὴν τρυφὴν ἔλαιον ὀνομάσας, ἥτις ἀγαθὴ τοῖς τρυφῶσιν δοκεῖ · τὸ γὰρ ἀγαθὸν ἢ τῇ φύσει ὡς ἡ ἀρετὴ ἤ τισιν ὡς ὁ πλοῦτος · ἐπὶ τρυφῆς δὲ λέγει καὶ Δαυὶδ τὸ ἔλαιον · «ἀπὸ καρποῦ σίτου, οἴνου καὶ ἐλαίου αὐτοῦ ἐπληθύνθησαν ᵇ».

Adest in N.

---

54. Εἰ ὁ ἐπαινετὸς θάνατος καθ' ὃν συναποθνήσκουσιν οἱ δίκαιοι τῷ Χριστῷ ᵃ διαλύειν πέφυκε ψυχὴν ἀπὸ κακίας καὶ

a. Cf. Rom. 6, 8 ; II Tim. 2, 11

A HT   Ὀλυμπιοδώ(ρου) H (prius frag.) ἄλλω(ς) T   H : duo frag. distincta cum textu perturbato : καὶ ἡμέρα θανάτου θάνατος ὃν συναποθνήσκουσιν οἱ δίκαιοι τῷ Χριστῷ διαλύειν πεφυκὸς ψυχὴ ἀπὸ κακίας καὶ ἀγνωσίας, postea : ὑπὲρ ἡμέραν γενέσεως γένεσις ἀντικειμένη τῷ τοιούτῳ θανάτῳ ἡ συνάπτουσα ψυχὴν κακίᾳ καὶ ἀγνωσίᾳ   ⏋ 2 διαλύειν : διαλύσιν T.

nant désigne les délices corporelles, qui paraissent bonnes à ceux qui vivent dans les délices. Le bon, en effet, est tantôt dit bon par nature, comme la vertu, tantôt bon pour certains, comme l'or et l'argent. Ainsi le riche a reçu sa part de biens pendant sa vie «et Lazare pareillement sa part de maux»[a]. Que le mot «huile» soit employé à la place du mot «délices», David le montre lorsqu'il dit des hommes : «Grâce au produit de leur blé, de leur vin et de leur huile ils se sont multipliés[b].»

Lignes 1-7. Mêmes remarques dans la scholie 233 *ad Prov.* 22, 1 («Un beau nom est préférable à une grande richesse») : «Il a appelé ' beau nom ' la vertu qui est désignée par le nom qui lui est approprié, car est ' beau ' le nom qui possède le bien qu'il désigne...» Sur cette conception de la justesse des noms, qui remonte au *Cratyle* de Platon, voir par ex. le moyen-platonicien ALCINOOS, *Didaskalikos* 160 : «En effet, la justesse d'un nom n'est rien d'autre que l'imposition du nom en accord avec la nature de cette chose» (trad. Louis, *Coll. des Univ. de France*, 1990).

Lignes 7-11. Distinction classique entre bien absolu et bien relatif.

Lignes 12-14. Cf. schol. 7 *ad Ps.* 4, 8 : «Le blé, le vin et l'huile multiplient les pécheurs, la joie de Dieu réjouit les justes» (*Vaticanus gr. 754*, f. 42 : collation M.-J. Rondeau).

54. Si la mort louable selon laquelle les justes meurent avec le Christ[a] est de nature à détacher l'âme

ἀγνωσίας, οὕτω πάλιν ἡ ἀντικειμένη γένεσις τούτῳ τῷ
θανάτῳ συνάπτει ψυχὴν κακίᾳ καὶ ἀγνωσίᾳ · διὸ καὶ προτι-
5 μότερος ὁ τοιοῦτος θάνατός ἐστιν τῆς τοιαύτης γενέσεως.

3 οὕτω πάλιν om. T.

PROCOPE : Εἰ δὲ ὁ ἐπαινετὸς θάνατος καθ᾽ ὃν συναποθνήσκουσιν οἱ
δίκαιοι τῷ Χριστῷ[a] διαλύειν πέφυκε ψυχὴν ἀπὸ κακίας καὶ ἀγνωσίας —
«ἡμέρα γὰρ θανάτου, φησίν, ὑπὲρ ἡμέραν γενέσεως αὐτοῦ» —, ἡ ἀντικειμένη γένεσις τούτῳ τῷ θανάτῳ συνάπτει ψυχὴν κακίᾳ καὶ ἀγνωσίᾳ · διὸ
5 καὶ προτιμότερος ὁ τοιοῦτος θάνατος τῆς τοιαύτης γενέσεως.

Adest in N.

7, 2   < ἀγαθὸν πορευθῆναι εἰς οἶκον πένθους
ἢ ὅτι πορευθῆναι εἰς οἶκον πότου,
καθότι τοῦτο τὸ τέλος παντὸς ἀνθρώπου,
καὶ ὁ ζῶν δώσει ἀγαθὸν ἐν καρδίᾳ αὐτοῦ >

55. Τέλος τοῦ ἀνθρώπου ἡ μακαριότης ἐστίν. Εἰ δὲ μακαρίζει τὸ πένθος ἐν τοῖς εὐαγγελίοις ὁ κύριος · «μακάριοι
γάρ, φησίν, οἱ πενθοῦντες, ὅτι αὐτοὶ παρακληθήσονται[a]»,
καλῶς τὸ πένθος ὁ Σολομὼν τέλος τοῦ ἀνθρώπου φησίν,
5 ὅπερ τοὺς ἐν αὐτῷ ζῶντας πληροῖ τῶν πνευματικῶν
ἀγαθῶν.

a. Matth. 5, 4

A EH   ⌐ 1 τέλος] + τὸ δὲ E ‖ τοῦ om. H ‖ 1-3 εἰ — παρακληθήσονται : εἰ δὲ μακάριοι οἱ πενθοῦντες H om. E ‖ 4 καλῶς :
διὸ κ. E ‖ 5 τῶν om. H.

PROCOPE : Τέλος τοῦ ἀνθρώπου ἡ μακαριότης ἐστίν. Εἰ δὲ μακαρίζει
τὸ πένθος ἐν εὐαγγελίοις ὁ κύριος[a], καλῶς τὸ πένθος ὁ Σολομὼν τέλος τοῦ
ἀνθρώπου φησίν, ὅπερ τοὺς ἐν αὐτῷ ζῶντας πληροῖ τῶν πνευματικῶν
ἀγαθῶν.

NT[2] — Εὐαγρίου T[2]. — 2 ὁ Σολομὼν T[2 sl] : Σολομὼν N.

de la malice et de l'ignorance, à l'inverse la naissance
opposée à cette mort lie l'âme à la malice et à l'ignorance. Voilà pourquoi une telle mort est préférable à
une telle naissance.

Distinction qui recoupe la distinction «morts avec le Christ» /
«vivants dans la malice» établie dans la scholie 24.

7, 2 *Mieux vaut aller à une maison de deuil*
qu'aller à une maison de boisson,
étant donné que (le deuil) est la fin de tout homme,
et le vivant donnera du bien à son coeur

55. La béatitude est la fin de l'homme. Si le Seigneur
déclare dans les Évangiles le deuil bienheureux, car il
dit : «Bienheureux ceux qui sont en deuil, parce qu'ils
seront consolés [a]», Salomon a raison de dire que le deuil
est la fin de l'homme, puisqu'il remplit de biens spirituels ceux qui vivent dans cet état.

En un raccourci saisissant et paradoxal («le deuil est le *télos* de
l'homme»), Évagre embrasse toute la vie spirituelle, qui ne peut
atteindre la joie et la béatitude finales sans passer par les larmes et le
deuil. Voir I. HAUSHERR, *Penthos. La doctrine de la componction dans
l'Orient chrétien* (*Orientalia Christiana Analecta* 132), Rome 1944,
p. 152-173. Dans la scholie 2, c'est plus normalement la science de
Dieu qui est présentée comme le terme (τέλος) contenu dans les promesses. Sur l'association τέλος/μακαριότης, voir *Pratique*, Prol. [8] :
«Et la charité est la porte de la science naturelle, à laquelle succèdent
la théologie et la béatitude finale (ἡ ἐσχάτη μακαριότης)» (trad. A. et
C. Guillaumont légèrement modifiée); *Lettre sur la Trinité* 7, l. 2-3,
14-15, 19 (où on a l'expression τὸ τέλος καὶ ἡ ἐσχάτη μακαριότης);
schol. 136 *ad Prov.* 14, 9 : la vision de Dieu est «la fin bienheureuse (τὸ
μακάριον τέλος) réservée à chaque nature raisonnable»; *Evagriana*

Syriaca XI, 41 : «La béatitude est l'héritage divin dont hériteront les fils de lumière le septième et le huitième jour ; car c'est le terme de tout bien attendu et pensé ...» (trad. Muyldermans, p. 162). On peut trouver des expressions analogues chez Origène (par ex. *De princ.* III,

---

7, 3   < ἀγαθὸν θυμὸς ὑπὲρ γέλωτα,
        ὅτι ἐν κακίᾳ προσώπου ἀγαθυνθήσεται καρδία.
    4   καρδία σοφῶν ἐν οἴκῳ πένθους,
        καὶ καρδία ἀφρόνων ἐν οἴκῳ εὐφροσύνης.
    5   ἀγαθὸν τὸ ἀκοῦσαι ἐπιτίμησιν σοφοῦ
        ὑπὲρ ἄνδρα ἀκούοντα ᾆσμα ἀφρόνων·
    6   ὅτι ὡς φωνὴ τῶν ἀκανθῶν ὑπὸ τὸν λέβητα,
        οὕτως ὁ γέλως ὁ τῶν ἀφρόνων·
        καί γε τοῦτο ματαιότης.
    7   ὅτι ἡ συκοφαντία περιφέρει σοφὸν
        καὶ ἀπολλύει τὴν εὐτονίαν τῆς καρδίας*
                               αὐτοῦ >

56. Ὅταν μὲν ὑπὲρ τῆς ἀρετῆς ἀγωνιζόμενος ὁ θυμὸς πυκτεύῃ τοῖς δαίμοσιν, ἔστιν ἰσχυρὸς καὶ ἐπαινετός· ὅταν δὲ ὑπὲρ τῶν φθαρτῶν πραγμάτων διαμάχηται τοῖς ἀνθρώποις, γίνεται ψεκτός. Ἐνταῦθα τοίνυν ὃ λέγει τοιοῦτόν ἐστιν, ὅτι ὁ
5 μὲν ἄφρων ἀγαθύνεται ἐν τῇ κακίᾳ καὶ γελᾷ καὶ εὐφραίνεται ἐπ' αὐτῇ, μήτε ᾄσματα αἰσχρὰ παραιτούμενος μήτε γέλωτας τὴν ψυχὴν αὐτοῦ διαφθείροντας δίκην πυρὸς ἐν ἀκάνθαις ἀναπτομένου· ὁ δὲ δίκαιος καὶ θυμοῦται κατὰ τῶν τοιούτων παθῶν καὶ ἀγανακτεῖ καὶ προτιμότερον ἡγεῖται εἶναι πένθος
10 μὲν τῆς τοιαύτης εὐφροσύνης, ἐπιτίμησιν δὲ σοφοῦ τῶν τοιούτων ᾀσμάτων· ματαιότητα δὲ τὴν τοιαύτην ζωὴν ὀνομάζει καὶ συκοφαντίαν, εὐκόλως ἀπατῶσαν καρδίαν σοφοῦ καὶ διαλύουσαν τὴν ἐν ταῖς ἀρεταῖς αὐτῆς εὐτονίαν.

     A EHT   ἄλλως E   ἄλλο(ς) H   (prius frag.)   ἄλλω(ς)
T   E : 1-12 ὅταν — ὀνομάζει desunt H : duo frag. distincta
(4-13 ὅτι — εὐτονίαν et 1-4 ὅταν — ἐστιν)   ⏋ 1 μὲν om. H ||
τῆς om. T || 2 ἰσχυρὸς καὶ om. T || 3 διαμάχεται A T || 4 γίνεται
om. H || 5 τῇ om. T || 8 ἀναπτομένου : ἐναπτόμενος A || καὶ om.
T || 13 αὐτῆς om. H.

6, ch. consacré aux fins dernières) ou Grégoire de Nazianze. Évagre n'a pas compris que le mot ἀγαθόν du verset 2 ⁴ reprenait l'ensemble de la sentence précédente et que l'expression δώσει ἐν καρδίᾳ αὐτοῦ signifiait «soumettre à son esprit».

7, 3 *Mieux vaut la colère que le rire,*
car le coeur trouvera son bonheur dans la malice
du visage.

4 *Le coeur des sages est dans une maison de deuil,*
et le coeur des insensés dans une maison de joie.

5 *Mieux vaut écouter la remontrance du sage*
qu'être un homme qui écoute le chant des insensés.

6 *Car, comme le bruit des épines sous le chaudron,*
ainsi le rire des insensés,
et cela aussi est vanité.

7 *Car l'oppression égare le sage*
et fait disparaître la vigueur de son coeur

56. Quand dans son combat pour la vertu la partie irascible fait le coup de poing contre les démons, elle est forte et louable, mais quand elle s'acharne contre les hommes en vue d'obtenir des choses corruptibles, elle devient blâmable. Ici donc, voici ce qu'il veut dire : L'insensé trouve son bonheur dans sa malice, il en rit et s'en réjouit, il ne repousse ni les chants honteux ni les rires qui détruisent son âme à la façon d'un feu allumé dans les épines ; mais le juste se met en colère contre de telles passions, il s'en indigne, il juge le deuil préférable à une telle joie et la remontrance du sage préférable à de tels chants. Il nomme «vanité» et «oppression» une telle vie, qui abuse facilement le coeur du sage et relâche sa vigueur dans les vertus.

PROCOPE : Ἀγαθὸς θυμὸς ὑπὲρ ἀρετῆς πυκτεύων τοῖς δαίμοσιν, ἀλλ' οὐχ ὑπὲρ φθαρτῶν ἀνθρώποις μαχόμενος. Ὁ μέντοι χαίρων κακίᾳ ἐπὶ ταύτῃ γελᾷ, χαίρων ᾄσμασιν αἰσχροῖς καὶ τοῖς ὅσα διαφθείρει τὴν ψυχήν.

NT² — Εὐα(γρίου) T².

Lemme biblique. Pour le sens d'ἀγαθύνεσθαι (v. 3), voir HARL-DORI-VAL-MUNNICH, *La Bible grecque des Septante*, p. 248-249. En donnant à κακίᾳ son sens moral habituel, Évagre s'éloigne du sens primitif du verset qui devait être : « Le cœur trouvera son bonheur dans une mine sombre » ; on avait là une opposition entre extérieur (sombre) et intérieur (joyeux). La seconde partie du verset 7 qui présente en hébreu une réelle difficulté de construction (avec l'ordre des mots suivant :

7, 8¹   < ἀγαθὴ ἐσχάτη λόγων ὑπὲρ ἀρχὴν αὐτῶν* >

57. Κρείσσων, φησίν, ὁ ποιητὴς τοῦ νόμου ὑπὲρ τὸν ἀκροατὴν τοῦ νόμου ᵃ · οἱ γὰρ πρῶτοι λόγοι τῆς διδασ-καλίας λέγονται λόγοι, οἱ δὲ ἔσχατοι λόγοι καλοῦνται λόγοι ιτῶν ἔργων, εἴγε καὶ οἱ λόγοι διὰ τὰ καλὰ ἔργα καλοὶ λόγοι
5 λέγονται εἶναι.

a. Cf. Rom. 2, 13

A EHT   ἄλλω(ς) T   ⸏ 1 κρείσσων : κρεῖσσον A   βελτίων T
|| φησίν om. T || ποιητὴς post νόμου T || τοῦ νόμου om. T || 2
λόγοι] + οἱ H || 3 καλοῦνται λόγοι om. E || 4 τῶν om. ET || καὶ
om. ET || λόγοι² om. ET || 5 εἶναι om. H.

PROCOPE : Κρείσσων ὁ ποιητὴς τοῦ νόμου ὑπὲρ τὸν ἀκροατήν· οἱ μὲν γὰρ πρῶτοι λόγοι διδασκαλίας, οἱ δὲ ἔσχατοι τῶν ἔργων.

NT². — 1 κρεῖσσον T² || 2 τοῦ ἔργου T².

**7, 9   < μὴ σπεύσῃς ἐν πνεύματί σου τοῦ θυμοῦσθαι,
ὅτι θυμὸς ἐν κόλπῳ ἀφρόνων ἀναπαύσεται >**

«et détruit le cœur un don») se présente en grec sous quatre formes différentes : ἀπόλλυσι τὴν καρδίαν εὐγενείας αὐτοῦ *(Vaticanus)*, ἀπολλύει τὴν καρδίαν εὐτονίας αὐτοῦ *(Alexandrinus, Sinaiticus post corr.* ; cf. Commentaire de JÉRÔME, p. 302, l. 76-88 : *cor fortitudinis ejus* ; c'est l'expression retenue par Rahlfs), ἀπολλύει τὴν καρδίαν εὐτονίαν αὐτοῦ *(Sinaiticus ante corr.)*, ἀπολλύει τὴν εὐτονίαν τῆς καρδίας αὐτοῦ *(Venetus* ; cf. Vulgate : *robur cordis illius)*. La dernière ligne de la scholie d'Évagre nous oblige à retenir la *lectio facilior* du codex *Venetus.*

Lignes 1-4. Sur le bon ou le mauvais usage de la partie irascible, voir surtout *Pratique* 24 et *Euloge* 10 (traduit par A. et C. Guillaumont en note au ch. du *Pratique*).

7, 8[1]   *Mieux vaut la fin des paroles que leur commence-*
                                            ment

57. Mieux vaut, dit-il, être le réalisateur de la loi que l'auditeur de la loi[a]. Car les premières paroles sont appelées paroles d'enseignement, tandis que les paroles finales sont appelées paroles des oeuvres, s'il est vrai aussi que les paroles sont dites être de bonnes paroles à cause des bonnes oeuvres.

Cf. schol. 27 *ad Prov.* 3, 1 et 246 *ad Prov.* 22, 17, et surtout *KG* IV, 55 : «Les paroles des vertus sont les miroirs des vertus ; et celui qui 'écoute' les paroles et ne les 'pratique' pas, celui-là voit comme en ombre la vertu, qui est le visage de l'âme» (trad. A. Guillaumont).

7, 9   *Ne te hâte pas dans ton esprit de te mettre en*
                                                colère,
       car la colère reposera dans le sein des insensés

58. Σημειωτέον ὅτι κόλπον ἄντικρυς ἐνταῦθα τὴν ψυχὴν ὀνομάζει· οὐ γὰρ ἄν τις εἴποι τὸν θυμὸν ἐν τῷ αἰσθητῷ ἀναπαύσασθαι κόλπῳ.

A EHT   H : 2-3 οὐ — κόλπῳ desunt   ⌉ 1 σημειωτέον ὅτι om. H ‖ ἄντικρυς om. H ‖ ἐνταῦθα om. A ‖ 3 ἀναπαύεσθαι ET.

7, 10 < μὴ εἴπῃς · τί ἐγένετο
ὅτι αἱ ἡμέραι αἱ πρότερον ἦσαν ἀγαθαὶ ὑπὲρ
ταύτας ;
ὅτι οὐκ ἐν σοφίᾳ ἐπηρώτησας περὶ τούτου >

59. Εἰ «φόβος κυρίου προστίθησιν ἡμέρας ᵃ», ἐφ᾽ ἡμῖν ἐστι τὸ ἀγαθῶν ἢ ἀγαθωτέρων ἀπολαύειν τῶν τῆς ἁγίας γνώσεως ἡμερῶν. Τὸ δὲ νομίζειν τοῖς πρεσβυτέροις κατὰ τὸν χρόνον καὶ τὰ πρωτεῖα τῆς γνώσεως δίδοσθαι οὐ σοφῶν·
5 οὐδὲ γὰρ εἴ τι ἀρχαῖον, τοῦτο καὶ τιμῆς ἄξιον, ἐπειδὴ παλαιὰ μὲν πάντως καὶ ἡ κακία, ἀλλ᾽ οὐχὶ καὶ τιμᾶσθαι διὰ τὸν χρόνον ἀξία, εἴπερ «οὐχ οἱ πολυχρόνιοί εἰσι σοφοὶ οὐδ᾽ οἱ γέροντες οἴδασι κρίμα ᵇ».

a. Prov. 10, 27   b. Job 32, 9

A EHT   ἄλλως E   Πολυχρ(ονίου) H   ⌉ 2 ἀγαθῶν correxi : ἀγαθὸν A EHT ‖ ἢ om. ET ‖ 4 σοφόν ET ‖ 5-7 οὐδὲ — ἀξία : οὐδὲ δίκαιον τοῦτο εἰπεῖν [ποιεῖν T] ET om. H ‖ 7-8 οὐδ᾽ οἱ γέροντες οἴδασι : οὐδὲ οἱ προγεγονότες οὐδὲ οἱ γέροντες ἴσασι ET.

Les jours symbolisent les parts de science données par le Christ, soleil de justice ; cf. schol. 122 *ad Prov.* 10, 27 : «Si ‘ la crainte du Seigneur ajoute des jours ’ et si ‘ la crainte du Seigneur est le commencement de la sagesse ’ (*Prov.* 1, 7), ces jours, produits par le soleil de justice, sont des parts de sagesse ...» (voir les textes parallèles donnés

58. Il faut noter qu'il nomme ici clairement l'âme
« sein », car on ne saurait dire que la colère repose dans le
sein sensible.

Interprétation habituelle du mot χόλπος : schol. 152 *ad Prov.* 16, 33
(texte et note); 11 *ad Ps.* 34, 13; 24 *ad Ps.* 88, 51.

7, 10 *Ne dis pas : Comment se fait-il*
que les jours d'autrefois étaient meilleurs que
ceux-ci ?
car ce n'est pas par sagesse que tu t'es enquis de
cela

59. Si « la crainte du Seigneur ajoute des jours[a] », il
dépend de nous de jouir de jours de la sainte science
bons ou meilleurs. Penser que c'est à ceux qui sont plus
âgés par le temps qu'est aussi accordé le premier prix de
la science n'est pas le fait de sages, car ce n'est pas tout
ce qui est antique qui mérite aussi l'estime, puisque la
malice aussi, assurément, est ancienne et qu'elle ne
mérite pas pour autant d'être estimée à cause de sa
durée, tant il est vrai que « ce ne sont pas ceux qui sont
chargés d'ans qui sont sages ni les vieux qui connaissent
le droit[b] ».

en note). Alors que la scholie aux Proverbes se terminait sur des considérations concernant la vieillesse spirituelle, symbole de perfection, la
présente scholie montre le caractère équivoque de tous les symboles :
la vieillesse peut aussi symboliser le mal (cf. ici-même, schol. 32);
cette interprétation péjorative de la vieillesse se fait sous l'influence
du thème paulinien du vieil homme : noter ici l'apparition du terme
παλαιός.

7, 11 <ἀγαθὴ σοφία μετὰ κληροδοσίας,
καὶ περισσεία τοῖς θεωροῦσιν τὸν ἥλιον·

12 ὅτι ἐν σκιᾷ αὐτῆς ἡ σοφία ὡς σκιὰ τοῦ
ἀργυρίου,
καὶ περισσεία γνώσεως τῆς σοφίας
ζωοποιήσει τὸν παρ' αὐτῆς>

60. "Ωσπερ ἔχουσί τι περισσὸν οἱ θεωροῦντες τὸν ἥλιον
τῶν τεθεωρηκότων μέν, μηκέτι δὲ θεωρούντων, οὕτω κέκ-
τηνταί τι πλέον οἱ τυχόντες σοφίας καὶ ἐξουσιάσαντες
αὐτῆς — τοῦτο γάρ ἐστι τὸ «μετὰ κληροδοσίας» — τῶν
5 λαβόντων καὶ ἐκπεσόντων αὐτῆς δι' οἰκείας παρανομίας.
"Ὅτι πᾶς ὁ κτησάμενος σοφίαν καὶ ἀπολέσας αὐτὴν πρῶτον
μὲν σκιὰν σοφίας καὶ οὐ σοφίαν ἐκτήσατο, ἔπειτα δὲ καὶ
ἔοικεν ἀνθρώπῳ σκιὰν ἀργυρίου κατεσχηκότι, ἀργύριον δὲ
μὴ κτησαμένῳ· ἡ γὰρ σοφία πέφυκεν οὐ λαμβανομένη, ἀλλὰ
10 συνοῦσα ζωοποιεῖν διὰ τῆς γνώσεως τὸν κεκτημένον αὐτήν.

AB EHH²T   ἄλλως E   Διδύμου H   Γρη(γορίου) H²   B :
1-9 ὥσπερ — κτησαμένῳ desunt   H² : 1-7 ὥσπερ — σκιὰν
desunt   ⌐ 2 τεθεωρηκότων : δοκούντων ET ‖ μέν om. A ‖
μηκέτι : μὴ ET ‖ θεωρούντων δὲ ET ‖ 3 τι om. H ‖ πλέον] + καὶ
ET ‖ 4 τὸ om. ET ‖ τῶν] + δὲ ET ‖ 6 ὅτι — αὐτὴν om. ET ‖ 7
ἐκτήσαντο EH²T ‖ 8 κατεσχηκότα A ‖ 8-9 ἀργύριον δὲ μὴ κτησαμένῳ : μὴ κτησ. δὲ τὸ ἀργ. ET ‖ 9 οὐ iteravit T ‖ 10 ζωοποιεῖ
EH ‖ κτησάμενον EH²T.

7, 15²⁻³ <ἔστιν δίκαιος ἀπολλυόμενος ἐν δικαίῳ
αὐτοῦ,
καὶ ἔστιν ἀσεβὴς μένων ἐν κακίᾳ αὐτοῦ>

7, 11 *Bonne est la sagesse avec un héritage,*
          et la supériorité (appartient) à ceux qui
          contemplent le soleil,
      12 *car dans son ombre la sagesse est comme l'ombre*
          de l'argent,
          et la surabondance dans la science de la sagesse
          vivifiera celui qui la possède

60. De même que ceux qui contemplent le soleil ont quelque supériorité sur ceux qui l'ont contemplé, mais ne le contemplent plus, de même ceux qui ont obtenu la sagesse et ont eu la faculté d'en (disposer) — car c'est le sens des mots «avec un héritage» — possèdent quelque chose de plus que ceux qui l'ont reçue et l'ont perdue par leur propre iniquité. Car quiconque a acquis la sagesse, puis l'a perdue, a d'abord possédé une ombre de sagesse et non la sagesse, ensuite il ressemble aussi à un homme qui aurait retenu une ombre d'argent, mais non possédé l'argent. En effet la sagesse est de nature à vivifier par la science celui qui la possède, non quand elle est saisie, mais quand elle a avec lui un commerce intime.

Cf. schol. 43.

7, 15[2-3] *Il y a le juste qui est perdu dans sa justice*
              et il y a l'impie qui demeure dans sa malice

61. 'Απώλεια λέγεται καὶ ἡ διὰ δοκιμὴν ἐγκατάλειψις, ὡς ἐπὶ τοῦ Ἰώβ· «ἀπωλόμην γάρ, φησί, καὶ ἔξοικος ἐγενόμην [a].»

a. Job 6, 18

A ET   ἄλλω(ς) T   ] 1 λέγεται δὲ ἀπώλεια ET ‖ 2 τοῦ] + ἀοιδίμου E.

PROCOPE : Λέγεται ἀπώλεια καὶ ἡ διὰ δοκιμασίαν ἐγκατάλειψις.

NT² — Εὐα(γρίου) T². — λέγεται] + δὲ N.

---

62. «Ἐμοῦ δὲ παρὰ μικρόν, φησὶν ὁ Δαυίδ, ἐσαλεύθησαν οἱ πόδες, παρ' ὀλίγον ἐξεχύθη τὰ διαβήματά μου· ὅτι ἐζήλωσα ἐπὶ τοῖς ἀνόμοις εἰρήνην ἁμαρτωλῶν θεωρῶν [a].»

a. Ps. 72, 2-3

A ET   ] 1 ἐμοῦ — Δαυίδ : ὁ δὲ μένων ἀσεβὴς ἐν [+ τῇ E] κακίᾳ αὐτοῦ καθά φησιν ὁ Δαυίδ· ἐμοῦ δὲ παρὰ μικρὸν ET.

PROCOPE : Μένει δὲ ἀσεβὴς ἐν κακίᾳ αὐτοῦ καθά φησιν ὁ Δαυίδ· «ὅτι ἐζήλωσα ἐπὶ τοῖς ἀνόμοις εἰρήνην ἁμαρτωλῶν θεωρῶν [a].»

NT² — 61-62 concatenaverunt NT². — 1 ἀσεβὴς om. T² ‖ καθὼς T² ‖ ὁ om. N.

7, 16   < μὴ γίνου δίκαιος πολὺ
          καὶ μὴ σοφίζου περισσά, μήποτε ἐκπλαγῇς.
     17   μὴ ἀσεβήσῃς πολὺ καὶ μὴ γίνου σκληρός,
          ἵνα μὴ ἀποθάνῃς ἐν οὐ καιρῷ σου.
     18   ἀγαθὸν τὸ ἀντέχεσθαί σε ἐν τούτῳ,
          καί γε ἀπὸ τούτου μὴ μιάνῃς τὴν χεῖρά σου,
          ὅτι ὁ φοβούμενος τὸν θεὸν ἐξελεύσεται τὰ
                                              πάντα >

61. L'Écriture appelle aussi «perdition» la déréliction qui a pour but de mettre à l'épreuve, comme dans le cas de Job, car il dit : «J'ai été perdu et je suis devenu étranger à ma maison[a].»

Nouvelle mention de la déréliction (cf. schol. 4 et 37). Celle-ci vient frapper le juste afin de révéler ses vertus ; cf. *Gnostique* 28 et schol. 20 *ad Ps.* 36, 25 : «... Les justes sont soumis à la déréliction un certain temps pour être mis à l'épreuve. Le Seigneur dit à Job : ' Ne crois pas que j'en ai usé envers toi autrement que pour que tu apparaisses juste ' (*Job* 40, 8)» (*Vaticanus gr. 754*, f. 107 : collation M.-J. Rondeau).

---

62. David dit : «Pour un peu mes pieds auraient été ébranlés, pour un peu mes pas se seraient répandus hors de (la voie), car j'ai été jaloux des iniques, en contemplant la paix (dont jouissaient) les pécheurs[a].»

Ces versets psalmiques sont également cités dans la scholie 67.

7,   16   *Ne deviens pas juste à l'excès*
et ne fais pas le sage plus qu'il ne faut, de peur
d'être frappé de stupeur.

17   *Ne sois pas impie à l'excès et ne deviens pas dur,*
de peur de mourir au moment qui n'est pas le
tien.

18   *Il est bon que tu t'attaches à ceci,*
et encore ne souille pas ta main par cela,
parce que celui qui craint Dieu sortira de tout

63. Μὴ ἐγχρονιζέτω, φησίν, ἐν τῇ καρδίᾳ σου λογισμὸς ἀσεβής, μήποτε ἀσεβήσασα ἡ ψυχή σου ἀποθάνῃ ἐν ἀγνωσίᾳ. Ἐν οὐ καιρῷ αὐτῶν ἀπέθανον οἱ Σοδομῖται καὶ οἱ Γομορρῖται[a]. Καὶ εἰ ὁ χρόνος οὗτος καιρός ἐστι κατορθώ-
5 σεως, οἱ ἐν τῷ χρόνῳ τούτῳ ἀποθνήσκοντες καὶ χωριζόμενοι τῆς ζωῆς τῆς εἰπούσης· «ἐγώ εἰμι ἡ ζωή[b]», οὐκ ἐν καιρῷ ἀποθνήσκουσιν.

a. Cf. Gen. 19, 24-25   b. Cf. Jn 11, 25 ; 14, 6

A EHT   ἄλλως E   ἄλλω(ς) T (alterum frag.)   E : cum ordine (3-7 ἐν — ἀποθνήσκουσιν + 1-3 μὴ — ἀγνωσίᾳ)   T : duo frag. distincta (1-3 et 3-7)   ⏋ 1 ἐγχρονιζέτω] + δὲ E ‖ λογισμὸς : λόγος H ‖ 2-3 ἐν ἀγνωσίᾳ : ἐν τῇ ἀγνωσίᾳ τῆς ἀσεβείας ET ‖ 3-4 ἐν οὐ — Γομορρῖται om. H ‖ 3 οἱ... οἱ om. ET ‖ 4 ἐστι] + διορθώσεως σφαλμάτων καὶ E ‖ 4-5 κατορθώσεως] + ἀρετῶν, ἀλλά γε E ‖ 5 χρόνῳ : καιρῷ E ‖ τούτῳ : τοῦτο T ‖ καὶ om. T ‖ 6 εἰμι : εἰ μὴ E ‖ οὐκ ἐν : ἐν οὐ ET ‖ 7 ἀποθνήσκουσιν] + τοῦ ἐνεστῶτος καὶ τοῦ μέλλοντος ET.

PROCOPE : Μὴ ἐγχρονιζέτω σοι λογισμὸς ἀσεβής, μήποτε ἀσεβήσασα ἡ ψυχή σου ἀποθάνῃ ἐν ἀγνωσίᾳ.

NT[2] − Εὐα(γρίου) T[2].

---

64. Ἀγαθὸν τὸ ἀντέχεσθαί σε τοῦ μὴ δίκαιον εἶναι πολύ, καί γε ἀπὸ ἀσεβείας μὴ μιάνῃς τὴν καρδίαν σου, ὅτι φοβούμενος τὸν θεὸν ἀπὸ πάσης ἐξελεύσῃ κακίας.

A T   ἄλλος A.

PROCOPE : Ἥγουν ἀντέχου, φησί, τοῦ μὴ δίκαιος εἶναι πολὺ καὶ μὴ μολύνῃς ἀσέβεια τὴν καρδίαν· φοβούμενος γὰρ τὸν θεὸν ἀπὸ πάσης ἐξελεύσῃ κακίας.

NT[2]. − 1 πολύ : ἐπὶ π. N ‖ 2 τὴν om. T[2].

63. Que la pensée impie, dit-il, ne s'attarde pas dans ton coeur, de peur que ton âme ne commette l'impiété et ne meure dans l'ignorance. C'est au moment qui n'était pas le leur que sont morts les habitants de Sodome et de Gomorrhe[a]. Et si ce temps-ci est. le moment de la réalisation (de la vertu), ceux qui meurent en ce temps-ci en étant séparés de la vie qui a dit : « Je suis la vie[b] », meurent quand ce n'est pas le moment.

Dans le développement des mauvaises pensées la durée joue un rôle déterminant : voir schol. 115 *ad Prov.* 9, 18a (ἀλλὰ ἀποπήδησον, μὴ ἐγχρονίσῃς ἐν τῷ τόπῳ), *Pensées* 21 (*PG* 79, ch. 23, 1225 D), *Skemmata* 58. La persistance de ces pensées conduit en effet au consentement au mal et provoque la mort spirituelle (cf. schol. 41). Évagre considère qu'il y a mort prématurée quand la mort physique surprend quelqu'un qui est encore en état de mort spirituelle. Le thème est abordé de façon allusive dans la scholie 57 *ad Prov.* 5, 5 : « C'est pour ceux qui descendent dans l'Hadès avec la mort que David fait cette prière : 'Qu'ils descendent chez Hadès vivants !' (*Ps.* 54, 16).» Voir aussi OLYMPIODORE (*PG* 93, 568 D - 569 A). Pour l'expression καιρὸς κατορθώσεως, voir plus loin, schol. 70.

---

64. Il est bon que tu t'attaches à ne pas être juste à l'excès, et encore par l'impiété ne souille pas ton coeur, parce que, en craignant Dieu, tu sortiras de tout mal.

Sur le thème de la crainte de Dieu comme ἔκκλισις κακοῦ, voir ici la scholie 18, et la note à la scholie 113 *ad Prov.* 9, 13.

8, 2¹   < στόμα βασιλέως φύλαξον >

65. Στόμα νῦν λέγει τὸν λόγον ἢ τὴν ἐντολήν.

Adest in **A H**.

PROCOPE : Ἢ στόμα νῦν λέγει τὸν λόγον τοῦ θεοῦ καὶ τὴν ἐντολὴν παρ' ἑαυτοῖς φυλάττειν.

Adest in T².

8, 12³⁻⁵   < ὅτι καί γε γινώσκω ἐγώ
ὅτι ἔσται ἀγαθὸν τοῖς φοβουμένοις τὸν θεόν,
ὅπως φοβῶνται ἀπὸ προσώπου αὐτοῦ ·
13   καὶ ἀγαθὸν οὐκ ἔσται τῷ ἀσεβεῖ,
καὶ οὐ μακρυνεῖ ἡμέρας ἐν σκιᾷ
ὃς οὐκ ἔστιν φοβούμενος ἀπὸ προσώπου
τοῦ θεοῦ >

66. Νῦν ἀγαθὸν τὴν γνῶσιν λέγει τὴν τοῦ θεοῦ.

A T   ἄλλω(ς) T   ⌉ λέγει τὴν τοῦ θεοῦ : τοῦ θεοῦ λέγει T.

8, 14   < ἔστιν ματαιότης ἣ πεποίηται ἐπὶ τῆς γῆς,
ὅτι εἰσὶν δίκαιοι ὅτι φθάνει πρὸς αὐτοὺς
ὡς ποίημα τῶν ἀσεβῶν,
καὶ εἰσὶν ἀσεβεῖς ὅτι φθάνει πρὸς αὐτοὺς
ὡς ποίημα τῶν δικαίων ·
εἶπα ὅτι καί γε τοῦτο ματαιότης >

8, 2[1]   *Observe la bouche du roi*

65. Il appelle maintenant «bouche» la parole ou le commandement.

Cf. Didyme : « Nous avons souvent montré que la bouche désignait la parole » (p. 343, l. 33).

8, 12[3-5]   *Et moi, je sais encore*
qu'il y aura un bien pour ceux qui craignent
Dieu,
de façon à ce qu'ils soient remplis de crainte
devant sa face.
13   *Et il n'y aura pas de bien pour l'impie,*
et il ne prolongera pas ses jours dans l'ombre,
celui qui n'est pas rempli de crainte devant la
face de Dieu

66. Maintenant il appelle «bien» la science de Dieu.

Cf. schol. 53 : «Salomon n'appelle bonne aucune réalité créée, autre que la vertu et la science de Dieu.»

8, 14   *Il y a une vanité qui est faite sur la terre :*
c'est qu'il y a des justes à qui il arrive
comme si c'était l'oeuvre des impies,
et qu'il y a des impies à qui il arrive
comme si c'était l'oeuvre des justes.
J'ai dit que cela aussi est vanité

67. Ἔστι ματαιότης, φησίν, ἥτις γίνεται ἐπὶ τῆς γῆς, ὅτι εἰσὶ δίκαιοι καὶ ὡς ἀσεβεῖς περιπίπτουσι συμφοραῖς, καὶ εἰσὶν ἀσεβεῖς καὶ ὡς δίκαιοι ἀπολαύουσιν ἀγαθῶν. Περὶ γὰρ τούτων καὶ ὁ προφήτης φησὶ πρὸς τὸν κύριον· «πλὴν κρί-
5 ματα λαλήσω πρὸς σέ· τί ὅτι ὁδὸς ἀσεβῶν εὐοδοῦται ; ª »· καὶ ὁ Δαυίδ· «παρ' ὀλίγον, φησίν, ἐξεχύθη τὰ διαβήματά μου· ὅτι ἐζήλωσα ἐπὶ τοῖς ἀνόμοις εἰρήνην ἁμαρτωλῶν θεωρῶν ᵇ.»

a. Jér. 12, 1   b. Ps. 72, 2-3

A HT   ἄλλο(ς) H   ⌐ 1 ἔστι om. H ‖ ἥτις : τις H ‖ 3 καὶ om.
T ‖ ἀγαθὸν T ‖ 5 ἀσεβῶν : εὐσεβῶν T ‖ 6 φησίν om. H.

9, 1¹⁻²   < ὅτι σὺν πᾶν τοῦτο ἔδωκα εἰς τὴν καρδίαν
μου,
καὶ καρδία μου σὺν πᾶν εἶδεν τοῦτο >

68. Ὁ μὲν ἄνθρωπος προσάγει τῇ καρδίᾳ τὰ πράγματα πρὸς τὴν ἔρευναν αὐτῶν ἀποκλίνων, ἡ δὲ καρδία μετὰ ταῦτα γινώσκει τὰ πράγματα· καὶ τοῦτό ἐστι τὸ «ἐκύκλωσα ἐγώ, καὶ ἡ καρδία μου τοῦ γνῶναι ª». Κυκλοῖ γὰρ τὸ πρᾶγμα καὶ
5 ὁ προσάγων αὐτὸ τῇ καρδίᾳ διὰ τῆς ἐξετάσεως καὶ ἡ καρδία πάλιν γινώσκουσα αὐτό. Πλὴν τοῦτο ἰστέον, ὅτι οὐ πάντα ὅσα κυκλοῖ ὁ ἄνθρωπος καὶ γινώσκει ἡ καρδία· πολλὰ γὰρ ἐξετάζομεν, ὀλίγα δὲ γινώσκομεν.

a. Eccl. 7, 25

A HT   ἀλλ(ως) H   ⌐ 2 αὐτῶν om. A ‖ ἀποκλίνων] + ἢ καὶ
[καὶ sl] κλίνων T ‖ 3 πράγματα] + καλῶν τε καὶ κακῶν T ‖
ἐστι] + ὅπερ ἀνωτέρω κεῖται T ‖ 4 καὶ² om. T ‖ 5 αὐτὸ : αὐτῷ [ο
supra ω] T   αὐτῷ A ‖ διὰ om. A H ‖ 6 αὐτό : αὐτόν H ‖ post
αὐτό interpolavit ὡς ἥλιος ἡμέραν οὕτως ἡ καρδία αὐγάζει καὶ
προοδοποιεῖ τὸ σῶμα διὰ τῆς γνώσεως τῶν ὁτοιοῦν (?) ἐπιστα-
μένη T ‖ 7 ἡ om. T ‖ post καρδία interpolavit ἔξεστιν πράττειν
αὐτὸν εἰ μὴ ὅσα θεῷ φίλα T.

67. Il y a une vanité, dit-il, qui se produit sur terre : il y a des justes, et ils tombent dans le malheur comme s'ils étaient impies ; il y a des impies, et ils jouissent des biens comme s'ils étaient justes. C'est à leur sujet que le prophète dit au Seigneur : «Cependant je parlerai avec toi des jugements : Pourquoi la voie des impies réussit-elle ? [a] », et que David dit : «Pour un peu mes pas se seraient répandus hors de (la voie), car j'ai été jaloux des iniques, en contemplant la paix (dont jouissaient) les pécheurs [b]. »

Reprise d'un thème déjà esquissé dans les scholies 21 et 38. Même groupement de citations bibliques dans la scholie 6 *ad Ps.* 143, 8.

9, 1[1-2] *Car j'ai donné tout cela à mon coeur,
    et mon coeur a vu tout cela*

68. L'homme présente au coeur les objets quand il se penche pour les éprouver, et le coeur après cela connaît les objets ; c'est ce que signifie aussi le verset : «Moi, j'ai entouré, et mon coeur aussi, pour connaître [a]. » En effet celui qui «entoure» l'objet, c'est aussi bien celui qui le présente au coeur grâce à l'examen que le coeur qui le connaît à son tour. Il faut cependant savoir ceci : le coeur ne connaît pas tout ce que l'homme entoure, car nous examinons beaucoup, mais nous connaissons peu.

Distinction entre deux étapes de l'activité intellectuelle : l'examen d'une chose et sa connaissance. Le verbe κυκλοῦν est également glosé par γινώσκειν dans la scholie 4 *ad Ps.* 25, 6.

9, 10³⁻⁴   < ὅτι οὐκ ἔστιν ποίημα καὶ λογισμὸς καὶ
γνῶσις
καὶ σοφία ἐν ᾅδη, ὅπου σὺ πορεύῃ ἐκεῖ >

69. Εἰ οὐκ ἔστιν ἐν ᾅδη λογισμός, πῶς ὁ πλούσιος παρακαλεῖ τὸν Ἀβραὰμ ἀποστεῖλαι τὸν Λάζαρον πρὸς αὐτόν[a] ;

a. Cf. Lc 16, 19-25

Adest in **A**.

La situation des âmes après la mort était un objet de discussion.
Les auteurs ecclésiastiques se sont appuyés sur le texte de Luc pour

---

9, 12¹   < καί γε οὐκ ἔγνω ὁ ἄνθρωπος τὸν καιρὸν
αὐτοῦ >

70. Οὐκ ἔγνω ὁ ἄνθρωπος ὅτι καιρός ἐστι χρόνος
κατορθώσεως · καιρὸν γὰρ τὴν εὐκαιρίαν δηλοῖ.

Adest in **A**.

Pour cette définition du καιρός, voir la scholie 56 *ad Ps.* 118, 126,
et, ici-même, la scholie 63 (où les termes de καιρός et de χρόνος ont été
intervertis). Elle apparaît déjà chez PHILON D'ALEXANDRIE, *De opifi-
cio mundi* 59, au cours du commentaire de *Gen.* 1, 14 ; associé au mot

---

11, 9³⁻⁴   < καὶ περιπάτει ἐν ὁδοῖς καρδίας σου, ἄμω-
μος,
καὶ ἐν ὁράσει ὀφθαλμῶν σου >

71. Ἐν πράξει καὶ θεωρίᾳ.

Adest in **A**.

9, 10^{3-4} *Car il n'y a pas d'oeuvre, de pensée, de science*
                     et de sagesse dans l'Hadès, là où tu vas

69. S'«il n'y a pas de pensée dans l'Hadès», comment
le riche exhorte-t-il Abraham à envoyer Lazare vers
lui [a] ?

soutenir la thèse du maintien en activité des différentes fonctions
psychiques. Cf. CASSIEN, *Conférence* I, 14 : «Que les âmes séparées de
leur corps ne demeurent point inactives ni privées de sentiment, c'est
ce que la parabole évangélique du pauvre Lazare et du riche vêtu de
pourpre nous montre bien» (trad. Pichery, *SC* 42).

9, 12^1 *Et l'homme n'a pas reconnu son moment*

70. L'homme n'a pas reconnu que le moment est le
temps de la réalisation (de la vertu), car il appelle
«moment» le moment favorable.

saison (ὥρα), le *kairos* y est présenté comme le temps nécessaire à la
maturation des fruits et des animaux. Pour Évagre, qui se situe au
niveau moral, le monde présent est le «moment favorable» au cours
duquel il est possible de se réaliser moralement et de devenir de vrais
vivants.

11, 9^{3-4} *Et marche sur les voies de ton coeur, irrépro-*
                                               chable,
                     et dans la vision de tes yeux

71. Dans l'action et la contemplation.

11, 10¹⁻² < καὶ ἀπόστησον θυμὸν ἀπὸ καρδίας σου
καὶ παράγαγε πονηρίαν ἀπὸ σαρκός
σου >

72. Ἐντεῦθεν γινώσκομεν ὅτι τὸ μὲν θυμικὸν τῇ καρδίᾳ
συνέζευκται, τὸ δὲ ἐπιθυμητικὸν τῇ σαρκί.

A HT ⌉ 1 τῇ : ἐν τῇ A.

PROCOPE : Ἐντεῦθεν δὲ γινώσκομεν ὅτι τὸ μὲν θυμικὸν τῇ καρδίᾳ
ἔζευκται, τὸ δὲ ἐπιθυμητικὸν τῇ σαρκί.

Adest in N.

---

73. Νῦν πονηρίαν τὴν πορνείαν λέγει καὶ τὴν γαστριμαργίαν.

A HT ⌉ 1-2 νῦν — καὶ τὴν γαστριμαργίαν [καὶ τ. γ. om. H] A
H : πονηρία δέ ἐστι πορνεία καὶ γαστριμαργία + ἡ δὲ νηστεία καὶ
ἐγκράτεια ταῦτα φυγαδεύει T.

PROCOPE : ...κατὰ τὸν ἀπόστολον εἰπόντα τὰς ἁμαρτίας ἔργα σαρκός],
μάλιστα δὲ ἡ πορνεία καὶ ἡ γαστριμαργία.

Adest in N.

11, 10^{1-2} *Éloigne la colère de ton coeur*
                        et conduis la malignité loin de la chair

72. Par là nous savons que la partie irascible est jointe au coeur, et la partie concupiscible à la chair.

Cf. *KG* VI, 84 : « La partie colérique de l'âme est jointe avec le cœur, où est aussi son intelligence ; et sa partie concupiscible est jointe avec la chair et le sang, s'il nous faut 'éloigner du cœur la colère et de la chair la malice' » (trad. A. Guillaumont). Le texte de l'Ecclésiaste figure également dans un petit dossier de textes scripturaires dirigés contre la colère, en *Pensées* 4 bis (*PG* 79, ch. 5, 1205 C).

---

73. Maintenant il appelle « malignité » la luxure et la gourmandise.

La *Catena Hauniensis* a aussi compris que le mot πονηρία renvoyait ici à la luxure (XI, 219-220).

APPENDICE

LES LEÇONS HEXAPLAIRES
DU *COISLINIANUS 193*

On trouvera ici une liste des leçons hexaplaires qui accompagnent les scholies d'Évagre dans le *Coislinianus 193*. Le premier élément cité est le lemme biblique tel qu'il figure dans le manuscrit, le second (après deux points) la leçon hexaplaire qui lui est rattachée. Les identifications placées entre parenthèses (Σ = Symmaque, A = Aquila, Θ = Théodotion) ont été faites d'après Field (*Origenis Hexapla*, t. II, p. 380-405). La plupart des leçons viennent de Symmaque ; celles qui sont attribuées à Aquila proviennent d'une révision non identifiée mise dans la troisième colonne des Hexaples habituellement réservée à Aquila et laissée vide puisque, dans le cas de l'Ecclésiaste, c'est la version d'Aquila qui forme le texte des LXX. Nous nous contentons de signaler les divergences les plus importantes par rapport à l'édition de Rahlfs (pour les lemmes) et par rapport à celle de Field (pour les leçons).

1, 2²   ματαιότης ματαιοτήτων, τὰ πάντα ματαιότης : οἷον · ἀτμοῦ ἀτμοῦ · ἀτμοῦ ἀτμίδων, τὰ πάντα ἀτμίς (cf. A Θ).

   6³   κυκλοῖ κυκλῶν πορεύεται τὸ πνεῦμα : κύκλου κύκλων (?).

   8²   οὐ δυνήσεται ἀνὴρ τοῦ λαλεῖν : οὐ δυνατόν (ἀδύνατόν Field) ἐστιν ἄνθρωπον ἐκνικῆσαι λέγοντα (Σ).

   9¹   τί τὸ γεγονὸς αὐτὸ τὸ γενησόμενον : ἐσόμενον (Σ).

   9²   τὸ ποιησόμενον : τὸ μέλλον ἔσεσθαι (Σ).

  13²   καὶ τοῦ κατασκέψασθαι : ἐξερευνῆσαι (A) · διαθρῆσαι (?).

  13⁴⁻⁵   ὅτι περισπασμὸν πονηρὸν ἔδωκεν ὁ θεὸς τοῖς υἱοῖς τῶν ἀνθρώπων : ἀσχολίαν (Σ)

  15²   καὶ ὑστέρημα οὐ δυνήσεται τοῦ ἀριθμηθῆναι : οὐ δύναται ἀναπληρῶσαι ἀριθμόν (cf. Σ).

2, 2¹   τὸ (sic) γέλωτι εἶπα περιφοράν : πλάνησιν (A) · τὸν γέλωτα εἶπον θόρυβον (Σ).

   4¹   ἐμεγάλυνα ποίημά μου : μεγάλα ἐποίησα ἔργα (Σ).

   5²   καὶ ἐφύτευσα ἐν αὐτοῖς ξύλον πᾶν καρποῦ : τουτέστι ξύλον παντὸς καρποῦ (?).

10⁵   ὅτι ἡ καρδία μου ε[ὐ]φράνθη ἐν παντὶ μόχθῳ μου :
        φιλοπονίᾳ μου (cf. Σ).

12¹⁻²   καὶ ἐπέβλεψα ἐγὼ τοῦ ἰδεῖν σοφίαν καὶ περιφοράν : πλάνην
        (Σ).

26²⁻³   ἔδωκε σοφίαν καὶ γνῶσιν καὶ εὐφροσύνην : ἐπιστήμην (?).

26⁴   καὶ ἐν τῷ ἁμαρτάνοντι ἔδωκε περισπασμόν : ἀσχολίαν (Σ).

3, 15³ καὶ ὁ θεὸς ζητήσει τὸν διωκόμενον : ἐπιζητήσει ὑπὲρ τῶν
        ἐκδιωκομένων (Σ).

4, 3³   ὃς οὐκ οἶδεν (εἶδεν Rahlfs) σὺν τὸ ποίημα τὸ πονηρόν : τὰ
        ἔργα τὰ κακὰ τὰ γινόμενα (Σ).

5   ἄφρων περιέλαβε τὰς χεῖρας αὐτοῦ καὶ ἐσθίει (ἔφαγεν
        Rahlfs) τὰς σάρκας αὐτοῦ : πλέκεται (cf. περιπλέκεται Σ).

8¹   ἔστιν εἷς καὶ οὐκ ἔστιν δεύτερος : ᾧ μὴ ἔστι δεύτερος (Σ).

9²   οἷς ἔστιν αὐτοῖς μισθὸς ἀγαθὸς ἐν μόχθῳ αὐτῶν : ἔχουσι
        κέρδος ἀγαθόν (Σ).

14¹   ὅτι ἐξ οἴκου δεσμωτηρίου (τῶν δεσμίων Rahlfs)
        ἐξελεύσεται τοῦ βασιλεῦσαι : ὁ δὲ καίπερ βασιλεὺς
        γεννηθεὶς ἠπορήθη (Σ).

5, 1²⁻³ ἡ καρδία σου μὴ ταχυνέτω τοῦ ἐξενέγκειν λόγον πρὸ προ-
        σώπου τοῦ θεοῦ : μὴ προπετὴς γενοῦ (γίνου Field) τῷ στό-
        ματί σου (Σ).

3³   ὅτι οὐκ ἔστι θέλημα ἐν ἄφροσιν : οὐ γάρ ἐστι χρεία
        ἀφρόνων (Σ).

10²⁻³   καὶ τίς ἀνδρεία τὸ παρ' αὐτῆς ἀλλ' ἢ τὸ ὁρᾶν αὐτὴν τοῖς
        ὀφθαλμοῖς αὐτοῦ : εἰ μὴ μόνον θεωρία ὀφθαλμῶν αὐτοῦ (Σ).

12   ἔστιν ἀρρωστία ἣν εἶδον ὑπὸ τὸν ἥλιον, πλοῦτον φυλασσό-
        μενον τῷ ἔχοντι αὐτὸν (leçon de Symmaque intégrée au
        lemme) εἰς κακίαν αὐτῷ : πονηρὸν αὐτῷ (Α) · κακὸν αὐτῷ
        (cf. Σ).

6, 9¹   ἀγαθὸν ὅραμα ὀφθαλμῶν ὑπὲρ πορευόμενον ψυχῇ : βέλτιον
        προβλέπειν ἢ ὁδεύειν αὐταρεσκείᾳ (Σ). La scholie 50 attri-
        bue à Symmaque un texte sensiblement différent (voir
        supra, p. 146-147).

7, 1¹   ἀγαθὸν ὄνομα ὑπὲρ ἔλαιον ἀγαθόν : μύρον εὐῶδες (Σ).

2⁴   καὶ ὁ ζῶν δώσει ἀγαθὸν ἐν καρδίᾳ αὐτοῦ : προ[σ sl]έξει τῇ
        διανοίᾳ (Σ).

7¹   ὅτι συκοφάντην (ἡ συκοφαντία Rahlfs) περιφέρει σοφόν :
        πλανήσει (Α) · θορυβήσει (Σ).

12¹   ὅτι ἐν σκιᾷ αὐτῆς ἡ σοφία ὡς σκιὰ τοῦ ἀργυρίου : ὅτι σκέ-
        πει σοφία ὡς σκέπει τὸ ἀργύριον (Σ).

14³   καί γε τοῦτο σύμφωνον τούτων : καὶ γὰρ τοῦτο ἀνάλογον
        τούτου (Σ).

15² ἐν δικαίῳ αὐτοῦ : καὶ ἡ δικαιοσύνη αὐτοῦ (cf. Α Σ).

15³ μένων ἐν κακίᾳ αὐτοῦ : μακρύνων ἐν πονηρίᾳ αὐτοῦ (Α).

16¹ μὴ γίνου δίκαιος πολύ : πλέον (Σ).

17² ἵνα μὴ ἀποθάνῃς ἐν οὐ καιρῷ σου : πρὸ τοῦ καιροῦ σου (Α).

18¹⁻² ἀγαθὸν τὸ ἀντέχεσθαί σε ἐν τούτῳ καί γε ἀπὸ τούτου μὴ μιάνῃς τὴν χεῖρά σου : οἷον· μὴ ἀνῇς (Θ).

25² καὶ τοῦ ζητῆσαι σοφίαν καὶ ψῆφον : λογισμόν (Α Σ).

25³⁻⁴ καὶ τοῦ γνῶναι ἀσεβοῦς ἀφροσύνην καὶ ὀχληρίαν (σκληρίαν Rahlfs) καὶ περιφοράν : πλάνας (Α).

27² μία τῇ μιᾷ τοῦ εὑρεῖν λογισμόν : ἓν πρὸς ἓν εὑρεῖν λογισμὸν ἐπιζητεῖ ἡ ψυχή μου, καὶ οὐχ εὗρον (Σ).

8, 7² ὅτι καθὼς ἔσται τίς ἀναγγελεῖ αὐτῷ ἐν τῷ ἐσομένῳ μετ' αὐτῶν (ces cinq derniers mots sont absents de Rahlfs) ; : τίς γὰρ τὰ ἐσόμενα ἀναγγελεῖ αὐτῷ ; (Σ).

10² καὶ ἀπὸ τοῦ ἁγίου ἐπορεύθησαν : οἳ καί ποτε ἦσαν ἐν τόπῳ ἁγίῳ ἀναστρεφόμενοι (cf. Σ).

10⁴ ὅτι οὕτως ἐποίησαν : ὡς δίκαια πράξαντες (Σ).

11¹ ὅτι οὐκ ἔστι γινομένη ἀντίρρησις : διὰ τὸ μὴ γενέσθαι (γίνεσθαι Field) τὴν ἀπόφασιν (Σ).

11³ διὰ τοῦτο ἐπληροφορήθη : ἐτόλμησε (cf. Α).

12¹ ὃς ἥμαρτεν ἐποίησε τὸ πονηρόν : ἁμαρτὼν γὰρ ὁ κακοῦργος ἀπέθανε, μακροθυμίας γινομένης (γενομένης Field) αὐτῷ (Σ).

14²⁻³ ὅτι εἰσὶ δίκαιοι ὅτι φθάνει πρὸς αὐτοὺς ὡς ποίημα τῶν ἀσεβῶν : οἷς συμβαίνει κατὰ τὰ ἔργα τῶν παρανόμων καὶ εἰσὶ παράνομοι οἷς συμβαίνει ὡς πράξασι κατὰ τὰ ἔργα τῶν δικαίων (Σ).

9, 3⁵⁻⁴¹ καὶ ὀπίσω αὐτῶν πρὸς τοὺς νεκρούς, ὅτι τίς ὃς κοινωνεῖ πρὸς πάντας τοὺς ζῶντας ; : τίς γὰρ εἰς ἀεὶ διατελέσει ζῶν ; (Σ).

10¹ πάντα ὅσα ἐὰν εὕρῃ ἡ χείρ σου τοῦ ποιῆσαι : ἐφικνεῖται (cf. Σ ἐφῖκται).

11² ὅτι οὐ τοῖς κούφοις ὁ δρόμος : τὸ φθάσαι δρόμον (Σ).

11³⁻⁴ καὶ οὐ τοῖς δυνατοῖς ὁ πόλεμος καί γε οὐ τοῖς σοφοῖς ὁ ἄρτος : τὸ κρατῆσαι πολέμου (Σ sur la première partie du verset)· πορῆσαι (πορίσαι Field) τροφήν (Σ sur la seconde partie).

11⁶ καί γε οὐ τοῖς γινώσκουσι χάρις : οὐδὲ τῶν τεχνῶν τὸ εὔχαρι (leçon attribuable à Σ).

11⁷ ὅτι καιρὸς καὶ συνάντημα συναντήσεται τοῖς πᾶσιν αὐτοῖς : σύγκρισις (συγκυρήσει Σ).

13²⁻14¹ καὶ μεγάλη ἐστὶ πρός με πόλις : δοκεῖ μοι (Σ).

14³ καὶ οἰκοδομήσει ἐπ' αὐτὴν χάρακα : ἀποτείχισμα (Σ).

17¹ λόγοι σοφῶν ἐν ἀναπαύσει ἀκούονται : μετὰ προσηνείας (Σ).

10, 1¹ μυ[ῖ]αι θανατοῦσαι σαπριοῦσι σκευασίαν ἐλαίου ἡδύσματος : μυ[ι]ῶν θάνατος σήψ[ει] ἔλαιον εὐῶδες μυρεψοῦ (Σ).

4² ὅτι ἴαμα καταπαύσει ἁμαρτίας μεγάλας : σωφροσύνη (Σ).

9¹ ἐξαίρων λίθους διαπονηθήσεται αὐτούς : σπασθήσεται (Α).

11² καὶ οὐκ ἔστι περισσεία τοῦ ἐπάδοντος : ἀκούσει ἐπῳδὸς καὶ οὐδὲν ὄφελος (cf. Σ).

14²⁻³ οὐκ ἔγνω ὁ ἄνθρωπος τί τὸ γενόμενον καὶ τί τὸ ἐσόμενον : τὰ προσγενόμενα (προγενόμενα Field), ἀλλ᾽ οὐδὲ τὰ ἐσόμενα (Σ).

15² ὃς οὐκ ἔγνω τοῦ πορευθῆναι εἰς πόλιν : οὐ γὰρ ἐπίσταται ἀπελθεῖν εἰς πόλιν (Σ).

17² καὶ οἱ ἄρχοντές σου πρὸς καιρὸν φάγονται ἐν δυνάμει : μετὰ ἀνδρείας (ἀνδραγαθίας Σ).

19³ καὶ τῇ τιμῇ τοῦ ἀργυρίου ἐπακούσεται σὺν τὰ πάντα : ἀργύριον δὲ εὐχρηστήσει εἰς πάντα (Σ).

11, 3³ ἐὰν πέσῃ ξύλον ἐν τῷ νότῳ : δένδρον (Σ).

5¹ ἐν οἷς οὐκ ἔστι γινώσκων τίς ἡ ὁδὸς τοῦ πνεύματος : ἐπεὶ μὴ οἶδε (οἶδας Field) πότε παρέσται ὁ ἄνεμος (Σ).

6³ ὅτι οὐ γινώσκει ποῖον στοιχήσει : εὐθετήσει (Α).

8² ἐν πᾶσιν αὐτοῖς εὐφρανθήσεται : καὶ διὰ πάντων εὐφραίνει (cf. Σ).

8³ καὶ μνησθήσεται τὰς ἡμέρας τοῦ σκότους : μεμνήσθω τῶν ἡμερῶν (Α) · καὶ μνησθήτω τῶν ἡμερῶν (cf. Σ).

9² καὶ ἀγαθυνάτω σε ἡ καρδία σου : ἐν ἀγαθῷ ἔστω (Σ).

12, 1³ ἕως οὗ μὴ ἔλθωσιν ἡμέραι κακίας σου : πρὶν ἐλθεῖν τὰς ἡμέρας τῆς κακώσεώς σου (Σ).

3² καὶ διαστραφῶσιν ἄνδρες δυνάμεως : καὶ διαφθαρῶσιν οἱ ἄνδρες οἱ ἰσχυροί (Σ).

3⁴ καὶ σκοτάσουσιν αἱ βλέπουσαι ἐν ταῖς ὀπαῖς : ὁράσεις διὰ τῶν ὀπῶν (Σ).

6² καὶ συνθλιβεῖ (pour -βῇ) τὸ ἀνθέμιον : θλασθῇ τὸ περιφερές (Σ).

10¹⁻² πολλὰ ἐζήτησεν ὁ ἐκκλησιαστὴς τοῦ εὑρεῖν λόγους θελήματος : χρείας (Α) · χρειώδεις (Σ).

10³ καὶ γεγραμμένον εὐθύτητος λόγους : συνέγραψεν ὀρθῶς (Α).

11¹⁻² λόγοι σοφῶν ὡς τὰ βούκεντρα καὶ ὡς ἧλοι πεπυρωμένοι : πεπηγότες (Σ Θ).

N. B. — Nous avons vu qu'en *Eccl.* 5, 12 une leçon hexaplaire se trouvait intégrée au lemme biblique, et non pas citée indépendamment de celui-ci. C'est aussi le cas en *Eccl.* 2, 10¹⁻² qui est cité sous la forme suivante : καὶ πᾶν ὃ ἐπεθύμησαν οἱ ὀφθαλμοί μου οὐκ ἀφεῖλον ἀπ᾽ αὐτῶν. Le verbe ἐπεθύμησαν correspond à la leçon de Symmaque, le texte de la Septante ayant à cet endroit ᾔτησαν.

INDEX

I. — MANUSCRITS CONTENANT LES SCHOLIES

II. RÉFÉRENCES SCRIPTURAIRES

Les numéros des scholies sont en chiffres droits pour indiquer une citation, en italiques pour indiquer une allusion.

ANCIEN TESTAMENT

(Septuaginta id est Vetus Testamentum graece iuxta interpretes LXX edidit A. Rahlfs, ed. 8, Stuttgart 1965, 2 vol.)

Genèse

1, 31	16
19, 24-25	*63*
28, 6	*36*
22	*36*
48, 16	30

Nombres

1, 2	*6*

Deutéronome

32, 8	38

I Samuel

1, 21-25	*36*

II Samuel

12, 3-4	*47*
13, 21	10
14, 20	*38*

Job

1, 21	41
6, 18	61
7, 14	35
32, 9	59
40, 19	*25*
41, 25	*25*

Psaumes

4, 8	53
12, 4-5	35
30, 6	10
33, 8	30
36, 16	27.35
43, 17	35
48, 13	*21*
48, 21	*21*
71, 4-5	23
72, 2-3	62.67
76, 6	3
83, 11	27
103, 25	6
112, 4	38
118, 122	23
157	19
176	19
142, 5	3
146, 4	6
5	*6*

Proverbes

2, 1	*39*
2	*39*
17	*32*
4, 19	34
5, 22	33

NOUVEAU TESTAMENT

(*Novum Testamentum Graece cum apparatu critico* curavit Eberhard Nestle, novis curis elaboraverunt Erwin Nestle et Kurt Aland, ed. 25, Stuttgart 1963.)

III. — MOTS GRECS

Dans cet index, nous donnons un inventaire assez complet des mots grecs du texte original des *Scholies*. On y trouvera tous les substantifs, tous les verbes (à l'exception de εἶναι, ἔχειν, λέγειν, φάναι), un grand nombre d'adjectifs et quelques adverbes, exceptionnellement une préposition.

Les chiffres en caractère gras renvoient aux numéros des scholies, les chiffres en caractère maigre aux lignes des scholies.

A. — NOMS PROPRES

Ἀβραάμ **69**, 2
Ἀδάμ **38**, 18
Ἀμνών **10**, 5
Ἄννα **36**, 13

Βασιλεῖαι (αἱ) **10**, 4

Γομορρῖται (οἱ) **63**, 4

Δαυίδ **3**, 1 **6**, 5, 12 **10**, 2, 5
19, 7 **30**, 9 **35**, 17 **47**,
9 **53**, 13 **62**, 1 **67**, 6

Ἐκκλησιαστής **1**, 3, 4

Ἰακώβ **30**, 6 **36**, 10
Ἰησοῦς **10**, 3
Ἰούδας **43**, 3
Ἰσραήλ **6**, 5
Ἰώβ **35**, 15 **41**, 1, 4 **61**, 2
Ἰωσήφ **30**, 6

Λάζαρος **53**, 11 **69**, 2

Μεσοποταμία **36**, 12
Μωσῆς **6**, 4 **38**, 17

Νάθαν **47**, 10

Παροιμίαι (αἱ) **5**, 3 **6**, 7 **35**,
20

Παῦλος **35**, 30

Σαμουήλ **36**, 13
Σοδομῖται (οἱ) **63**, 3
Σολομών **6**, 7 **53**, 6 **55**, 4
Στέφανος **10**, 3
Σύμμαχος **50**, 3

Χριστός **1**, 4 **11**, 1, 2 (bis)
13, 1 **23**, 4, 6 **24**, 1
25, 8 **32**, 4 **35**, 32 **38**,
4, 9 **54**, 2

B. — MOTS GRECS

ἀγαθός **4**, 1 **14**, 7 **15**, 22, 24
16, 1 **23**, 2 **24**, 4 **27**, 2

36, 1, 27 **47**, 5 **50**, 1, 2,
3 **51**, 11 **53**, 1, 3, 4

TABLE DES MATIÈRES

(Les chiffres renvoient aux pages)

SOURCES CHRÉTIENNES

Fondateurs : † *H. de Lubac, s.j.*
† *J. Daniélou, s.j.*
† *C. Mondésert, s.j.*
Directeur : D. Bertrand, s.j.
Directeur-adjoint : J.-N. Guinot

Dans la liste qui suit, dite « liste alphabétique », tous les ouvrages sont rangés par nom d'auteur ancien, les numéros précisant pour chacun l'ordre de parution depuis le début de la collection. Pour une information plus complète, on peut se procurer deux autres listes au secrétariat de « Sources Chrétiennes » — 29, rue du Plat, 69002 Lyon (France) — Tél. : 78 37 27 08 :

1. La « liste numérique », qui présente les volumes et leurs auteurs actuels d'après les dates de publication ; elle indique les réimpressions et les ouvrages momentanément épuisés ou dont la réédition est préparée.
2. La « liste thématique », qui présente les volumes d'après les centres d'intérêt et les genres littéraires : exégèse, dogme, histoire, correspondance, apologétique, etc.

LISTE ALPHABÉTIQUE (1-397)

SOUS PRESSE

ATHANASE D'ALEXANDRIE : **Vie d'Antoine.** G. Bartelink.

CÉSAIRE D'ARLES : **Œuvres monastiques.** Tome II : **Œuvres pour les moines.**
J. Courreau, A. de Vogüé.

HUGUES DE BALMA : **Théologie mystique.** J. Barbet, F. Ruello.

JONAS D'ORLÉANS : **L'institution royale.** A. Dubreucq.

PROCHAINES PUBLICATIONS

Les Apophtegmes des Pères. Tome II. J.-C. Guy (†).

BERNARD DE CLAIRVAUX : **Apologie et pièces liturgiques.** M. Coune.

Consultationes Zacchaei. J.-L. Feiertag.

GRÉGOIRE DE NAZIANZE : **Discours 6-12.** M.-A. Calvet.

GRÉGOIRE DE NYSSE : **Homélies sur l'Ecclésiaste.** F. Vinel.

Livre d'heures ancien du Sinaï. M. Ajjoub.

MARC LE MOINE : **Traités.** Tome I. G.-M. de Durand.

NIL D'ANCYRE : **Commentaire sur le Cantique.** M.-G. Guérard.

PACIEN DE BARCELONE : **Traités et lettres.** C. Épitalon, C. Granado.

TERTULLIEN : **Contre Marcion.** Tome III. R. Braun.

Également aux Éditions du Cerf

LES ŒUVRES DE PHILON D'ALEXANDRIE

publiées sous la direction de

R. ARNALDEZ, C. MONDÉSERT, J. POUILLOUX.

Texte original et traduction française.

LAVAUZELLE GRAPHIC
IMPRIMERIE A. BONTEMPS

87350 PANAZOL (FRANCE)

Registre des travaux :

DÉPÔT LÉGAL : Novembre 1993

IMPRIMEUR N° 1508-93 — ÉDITEUR N° 9713